COMO OS POBRES PODEM SALVAR O CAPITALISMO

RECONSTRUINDO O CAMINHO
PARA A CLASSE MÉDIA

A SOLUÇÃO PARA OS 100%

JOHN HOPE BRYANT

Prefácio do EMBAIXADOR ANDREW YOUNG

**Introdução à edição brasileira de CARLOS BREMER,
Fundador e Conselheiro do Instituto Capitalismo Consciente**

"Quando John Hope Bryant fala sobre como ampliar a classe média, eu escuto. Aconselho todo mundo a ler este livro e descobrir por si mesmo as ótimas ideias de John para criar uma América com mais oportunidades e responsabilidades compartilhadas."

— PRESIDENTE BILL CLINTON

CITADEL
Grupo Editorial

COMO OS POBRES PODEM SALVAR O CAPITALISMO

RECONSTRUINDO O CAMINHO
PARA A CLASSE MÉDIA

A SOLUÇÃO PARA OS 100%

JOHN HOPE BRYANT

Prefácio do EMBAIXADOR ANDREW YOUNG

**Introdução à edição brasileira de CARLOS BREMER,
Fundador e Conselheiro do Instituto Capitalismo Consciente**

"Quando John Hope Bryant fala sobre como ampliar
a classe média, eu escuto. Aconselho todo mundo a
ler este livro e descobrir por si mesmo as ótimas
ideias de John para criar uma América com mais
oportunidades e responsabilidades compartilhadas."

— PRESIDENTE BILL CLINTON

CITADEL
Grupo Editorial

Título original: *How the poor can save capitalism*
Copyright © 2014 by John Hope Bryant
Published by arrangement with Berrett-Koehler Publishers, San Francisco
Como os pobres podem salvar o capitalismo
1ª edição em português

Tradução
Lúcia Brito

Autor
John Hope Bryant

Capa
fattoconpassione pozati.com

Coordenação Editorial
Pâmela Siqueira

Assistente de criação
Dharana Rivas

Projeto Gráfico e Editoração
Cleberson Eduardo da Costa

DADOS INTERNACIONAIS DE CATALOGAÇÃO NA PUBLICAÇÃO (CIP)

B915c Bryant, John Hope

Como os pobres podem salvar o Capitalismo: reconstruindo o caminho para a classe média / John Hope Bryant. – Porto Alegre: CDG, 2016.
198p.

Prefácio do Embaixador Andrew Young

ISBN: 978-85-68014-18-9

1. Capitalismo – Estados Unidos. 2. Pobreza. 3. Esperança. 4. Desigualdade econômica. 5. Capitalismo consciente. I. Título.

CDD - 362.5

Bibliotecária Andreli Dalbosco – CRB 10-227

ISBN: 978-85-68014-18-9

Produção editorial e distribuição:

Site: www.citadeleditora.com.br
E-mail: contato@citadeleditora.com.br

Agente Logístico
www.brixcargo.com.br
Tel: (11) 5031-4565 / (51) 3470-7800 / (41) 3323-1499

Elogios para

COMO OS POBRES PODEM SALVAR O CAPITALISMO

"John Bryant é o que eu chamo de idealista prático, que sonha grande e aí age com precisão. Ele nos faz lembrar do antiquíssimo ditado: 'Se você der um peixe para um homem, você o alimenta por um dia, mas, se ensiná-lo a pescar, você o alimenta pela vida toda', pois tal homem, então, terá habilidades e conhecimento para se tornar autodeterminado. Um dos poucos e melhores planos para lidar com a pobreza é exposto neste livro. Ele delineia um caminho claro e exequível para tratar de um dos assuntos que levou meu pai a conclamar uma campanha pelos pobres pouco antes de ser assassinado. Você terá uma perspectiva diferente sobre pobreza e 'gente pobre' quando terminar de ler este livro e perceber que, a fim de proteger nossa economia, devemos garantir que todos tenham uma oportunidade honesta e justa de prosperar".

— DRª BERNICE A. KING
Filha de Martin Luther King e CEO de The King Center

"Não podemos vencer a guerra por bons empregos sem a inclusão dos pobres e de sua capacidade de construção — este livro mostra o caminho e desenvolve uma argumentação pessoal, moral e, acima de tudo, *econômica* sobre como os pobres podem salvar o capitalismo".

— JIM CLIFTON
Presidente e CEO do Gallup, autor de *The Coming Jobs War*

"John e eu queremos as mesmas coisas. As metas deste livro são as mesmas metas de minha campanha "Reconstruir o Sonho". Ele forneceu o mapa para a recuperação desse país numa época em que a desigualdade econômica está no auge. Quanto a mim, vou seguir os passos delineados pelo Plano HOPE".

— VAN JONES
Ex-conselheiro presidencial de Barack Obama e atual apresentador do programa *Crossfire*, da CNN

"Conheço John há vários anos, e "*hope*" (esperança) não é apenas seu nome do meio ou o nome da organização que ele fundou, é o que ele distribui a todos que encontra. Neste livro, John, de forma articulada, descreve maneiras exequíveis de conectar aqueles que atualmente estão desconectados da economia e, no processo, proporcionar oportunidades para os pobres e para os negócios comunitários simultaneamente. Essas sugestões práticas e inovadoras para o setor privado (e público) devem ser atentamente levadas em conta e implementadas por CEOs de todo país".

— DUNCAN L. NIEDERAUER
CEO da Bolsa de Valores de Nova York

"John Hope Bryant oferece um argumento convincente a favor da construção tanto do capitalismo quanto das comunidades por meio da promoção da alfabetização financeira entre os pobres e a classe média. Com a visão de que todas as pessoas devem ter oportunidades de participar plenamente de nossa economia, ele aviva o sonho americano".

— WILLIAM ROGERS
Presidente e CEO da Sun Trust Banks, Inc.

"Este livro não tenta explicar toda a desigualdade econômica existente na sociedade atual — em vez disso, imagina soluções. A debilidade da maior parte das teorias para resolver a desigualdade é não falarem à imaginação. John Bryant fala à nossa imaginação e transmite uma mensagem inspiradora para os jovens de que imaginação e autodeterminação são as únicas ferramentas necessárias para mudar o mundo. Um lembrete crucial para os norte-americanos de que não existe finalidade em ser pobre".

— Philippe Bourguignon, vice-presidente do Revolution Places, CEO do Exclusive Resorts e ex-coCEO do Fórum Econômico Mundial

"Imobilidade econômica é o tema que define a América no século XXI. John Hope Bryant monta uma argumentação envolvente sobre por que devemos fazer nossa economia funcionar para todos. *Como os pobres podem salvar o capitalismo* é leitura obrigatória para líderes empresariais, formuladores de políticas e lideranças comunitárias que querem fazer do Sonho Americano uma realidade para todos os nossos filhos".

— Ben Jealous, ex-CEO da NAACP

"O novo e brilhante livro de John Hope Bryant é a chave para fazer o capitalismo funcionar para todos. Bryant escreve com o coração a partir da experiência pessoal como ex-sem-teto que se tornou extremamente bem-sucedido ao investir US$ 500 milhões para ajudar os pobres a se tornarem financeiramente letrados e bem-sucedidos. A estratégia de Bryant e sua humanidade podem transformar a sociedade e curar as feridas que nos mantêm separados".

— Bill George, professor de prática de gestão da Escola de Administração de Harvard e autor de *True North*

"A proposta de Bryant é um remédio bem pensado de forma crítica, abrangente e articulado de maneira clara, que irá melhorar nossa comunidade sofrida e frustrada. Foi escrito em estilo atraente e ousado, a partir da perspectiva de entendimento e compaixão profundos e de um coração cheio de amor".

— Susan Taylor, ex-editora-chefe da revista *Essence* e atual CEO do National CARES Mentoring Movement

"Este livro faz soar um toque de clarim para se aumentar dramaticamente a capacitação financeira dos carentes e, por meio disso, encorajar seus instintos inatos de empreendedorismo. Apresentando exemplos reais de sucesso a partir do belo trabalho da Operação HOPE, John Hope Bryant desenvolve um plano de ação sensato que, caso seja seguido, proporcionará um futuro melhor para nossa nação. Vamos lá!"

— Richard Ketchum, CEO da FINRA

"John Hope Bryant é a essência de seu nome do meio: *Hope* (esperança). Plantador de esperança, ele nos convida a cultivar, semear esperança, investir em esperança, nutrir a esperança e colher esperança. Ele incentiva a promoção de oportunidades, não a caridade. E o que é a corda que nos puxa para cima? É a esperança, esperança como a que se vê na classe média, a espiral ascendente que determina a diferença entre "ricos" e "pobres". Autodeterminação é a nova definição de liberdade, e ambas dependem da alfabetização financeira. Esse último proporciona o quarteto da harmonia: educação, autoestima, escolha verdadeira e oportunidade verdadeira para todos. Essa é a essência da esperança. O autor pode ser resumido em suas próprias palavras: o fator esperança, portanto, é um bom emprego e uma chance ao sucesso aspirado. Nossas maiores questões hoje em dia não são tanto raça, barreira da cor ou conflitos sociais, e sim classes e pobreza. *Que as pessoas digam amém*".

— Reverendo Cecil L. "Chip" Murray, ex-pastor da Primeira Igreja Metodista Episcopal Africana de Los Angeles e ocupante da cadeira Tansey no Centro de Religião e Cultura Cívica da USC

"John Hope Bryant lançou-se a salvar a América fazendo-a voltar à ideia fundadora da nação — uma classe média sustentável e em expansão que sirva de farol para os outros, uma luz na colina. Isso não é possível enquanto 80% da população possui apenas 7% do dinheiro. Mas Bryant tem um plano para fazer com que a livre iniciativa funcione para os pobres, fornecendo mentores, construindo dignidade e confiança e permitindo o acesso ao dinheiro e à alfabetização financeira. É a ideia certa na hora certa".

— Sean Cleary, membro do conselho do Abraaj Group e vice-presidente da FutureWorld Foundation

"O terceiro livro de John Hope Bryant está muito bem focado nas causas da morte do letramento financeiro e das táticas necessárias para que melhore por meio do ensino e da inspiração tanto de adultos quanto de crianças nos Estados Unidos e em outros países. Um público financeiramente educado e inspirado tomará decisões melhores tanto na vida pessoal quanto profissional, o que resultará em uma economia mais forte e em oportunidades com bases mais amplas para todos. Embora eu, com certeza, não concorde com as posições de algumas pessoas citadas no livro, é provável que a realização das recomendações de John Hope Bryant requeira participação e apoio mais amplos. Este livro propõe soluções, metas e oportunidades para todos nós participarmos do trabalho necessário".

— Jim Wells, ex-CEO do SunTrust Banks

"Os maiores líderes da América trataram de questões de dignidade. Abraham Lincoln pôs fim à escravidão, mas um fato de suma importância e que não foi tão divulgado é que, pouco antes de sua morte, ele fundou o Freedman's Savings Bank para empoderar ex-escravos economicamente. Martin Luther King Jr. não tratou apenas de direitos civis — ele foi assassinado quando deu início a sua Campanha dos Pobres para todas as raças. Neste Livro, John Hope Bryant delineia um plano inspirador e concreto para efetivar a visão inacabada de Lincoln e King. Este livro não é apenas para ser lido, mas implementado. Este livro operacionaliza a dignidade no campo econômico".

— Professor Pekka Himanen, confundador da Global Dignity

"A obra de John Hope Bryant sobre as falhas do capitalismo e o que pode ser feito a respeito não só é muito oportuna, como também responde à crescente fome mundial de um modelo mais responsável e equitativo. O estilo acessível, a reflexão pessoal e o comprometimento sincero de impulsionar a mudança fazem deste livro uma leitura obrigatória para todos aqueles que se importam com o futuro e um guia prático para formadores de políticas e líderes. Ignoramos nossa interdependência e o verdadeiro valor do capital humano por tempo demais — Bryant faz um chamado eloquente e racional para que coloquemos a pobreza e a desigualdade de volta ao topo de nossa agenda imediatamente".

— Clare Woodcraft, CEO da Emirates Foundation

Este livro é dedicado ao projeto inacabado do Dr. Martin Luther King Jr. e de seu estrategista no movimento pela dignidade e empoderamento humanos, o meu herói pessoal, embaixador Andrew Young. Os esforços do Dr. King na Campanha dos Pobres foram interrompidos por seu assassinato antes que a iniciativa sequer tivesse oportunidade de decolar e agregar os melhores anjos da nação.

CONTEÚDO

INTRODUÇÃO À EDIÇÃO BRASILEIRA

"Como os pobres podem salvar o Capitalismo"

Conheci John Hope Bryant no evento CEO *Summit* do Capitalismo Consciente nos EUA. Ele fez uma apresentação sobre seu livro e sobre sua organização *Operation HOPE*. Além de ser um ótimo orador, o tema de sua apresentação e sua história pessoal me impressionaram muito. Mas minha atenção foi imediatamente capturada quando ele falou: "Uma pessoa sem esperança é o maior perigo para o mundo".

Nada resume melhor uma grande causa dos inúmeros desafios que enfrentamos na sociedade: avanço do terrorismo, aumento da desigualdade social, insustentabilidade do planeta, desengajamento das pessoas com suas organizações e principalmente a desconfiança das pessoas com o sistema capitalista.

Como fundador e conselheiro do Instituto Capitalismo Consciente Brasil, tenho me dedicado de forma voluntária a divulgar de maneira muito transparente e aberta as deficiências e principalmente, as virtudes do sistema capitalista: liberdade, sistema de trocas voluntárias, institucionalização da economia de mercado, mas, principalmente, o empreendedorismo como o grande fator de transformação e evolução da sociedade.

Nos últimos 300 anos, atingimos o aumento da expectativa de vida de 33 para mais de 70 anos; crescimento drástico da alfabetização; redução da miséria absoluta no mundo e assim por diante. Mas o tema da desigualdade é um grande calcanhar de Aquiles desse grande sistema chamado capitalismo. E é ai que o Capitalismo Consciente e esse incrível livro de John Hope entram em cena.

Para nós do Capitalismo Consciente, a grande mudança começa com uma transformação dentro de cada um de nós, enquanto líderes, e se propaga pela busca de um propósito elevado de vida e de organização, que constroem uma cultura poderosa, sempre voltado ao outro. Saem de cena as organizações para maximização do retorno somente ao investidor e entram as organizações que geram valor para todos, inclusive investidores. John e seu livro "Como os pobres podem salvar o Capitalismo" seguem na mesma direção de gerar um modelo que atenda não aos investidores ou aos desfavorecidos, mas sim os 100% de nossa sociedade. Esse é o segredo. O capitalismo só fará sentido se for bom para todos. Mas a diferença e a incrível valia são o seu enfoque nos pobres como o fator de transformação, partindo de uma reinterpretação do que é pobreza e seguindo pela "alfabetização financeira" para aqueles que hoje se encontram às margens do sistema, sem acesso a crédito, oportunidades de apoio financeiro, ou seja, sem esperança.

Além disso, a "reconquista" da esperança é destacada com muita sabedoria por John como a porta para o caminho de solução dos maiores problemas de nossa sociedade. Acho fundamental também destacar que essa é uma obra vinda não de uma conceituação teórica de um economista ou filósofo, mas de uma pessoa que viveu na prática tudo o que está descrito aqui. De seu pai correto, trabalhador, dedicado mas que, após anos de esforço, perdeu tudo, até o próprio John que se tornou um sem-teto para então se reerguer e chegar, por intermédio da sua própria jornada descrita aqui, a ser escolhido como um dos 50 líderes do futuro pela revista Time.

Nesse livro, o leitor encontrará diversos e poderosos *insights* para interpretar e entender a realidade atual. Logo de início, o tema da pobreza e sua contextualização de forma mais ampla são abordados, inclusive destacando seu imenso impacto na sociedade de forma direta e indireta. Em seguida, trata do delicado e importante problema de desigualdade, citando o problema que acho ser crítico: "...quando as pessoas começam a acreditar que o jogo está viciado, que não importa o que façam, elas simplesmente não conseguem ir adiante...". Esse descrédito com o sistema não só perpetua o problema, como o transforma em um imenso problema social. Neste mesmo capítulo, John cita a restauração da esperança como primeiro trabalho a ser feito: "...esperança é a sensação geral de que se você seguir as regras, será recompensado com uma oportunidade para o sucesso ou fracasso por seu próprio mérito...".

Em seguida, trata da importância da classe média no desenvolvimento dos Estados Unidos e do quanto a alfabetização financeira tem um papel chave nesse processo de evolução econômica e social em que uma frase destaca sua importância de transformar a realidade "...estar quebrado é uma condição econômica temporária, mas ser pobre é um estado mental incapacitante e uma condição de espírito deprimida... a ignorância de fato é pior que conhecimento algum, porque a ignorância desencaminha indivíduos bem-intencionados para direções estranhas, muitas vezes improdutivas...".

Nas partes II e III, John detalha ainda mais como a realidade atual leva a uma desigualdade e pobreza maiores, além de tratar também sobre como enfrentar esses problemas de forma concreta e, por fim, qual o benefício, não só para os pobres, mas para 100% da sociedade. Todo esse conteúdo está direcionado para a realidade dos EUA, mas serve de pano de fundo e inspiração para a realidade brasileira, nação com um problema semelhante e de escala muito maior, mas, principalmente, tão carente de uma visão sobre futuro e de planos de como crescer enquanto sociedade e de como erradicar a pobreza de forma estruturante e não pontual e esporádica como feito até hoje em nossa história.

Os dezesseis pontos do plano HOPE e o projeto 5117, descritos na parte IV, podem servir facilmente como um ponto de partida para ampliar a discussão e o diálogo de um caminho de solução para o problema brasileiro de desigualdade social e erradicação da pobreza, assim como de melhoria de nosso sistema capitalista em sua jornada de consciência e humanização.

Recomendo imensamente a leitura e o estudo do conteúdo desse livro, e proponho a ampliação do diálogo sobre os caminhos de nosso país na direção de maior desenvolvimento econômico com justiça social.

PREFÁCIO

John Hope Bryant fez uma contribuição maravilhosa, original e visionária a todos que querem ver a desigualdade econômica diminuir nesta vida. Executivos de negócios, tomem nota e sigam os passos desse livro! Todos os formados no ensino médio ou calouros universitários devem ler esse livro. E todos os professores que ensinam economia ou religião também devem ler esse livro. John Bryant condensou mais informações e experiência em duas centenas de páginas do que a maioria dos outros livros que li recentemente.

O que ele diz não é novidade, mas é apresentado de uma forma que não é basicamente acadêmica ou intelectual. Nem é simplesmente uma coleção de modelos de negócios e estatísticas. É realmente bastante profético. Esse livro segue a tradição de *As consequências econômicas da paz*, de John Maynard Keynes, escrito em 1919 e ignorado até o Plano Marshall ser proposto em 1947. Segue a tradição do professor da Universidade de Michigan C. K. Prahalad, que escreveu sobre *A riqueza na base da pirâmide*. Segue a tradição de Muhammad Yunus, o banqueiro dos "pobres", e a experiência do Grameen Bank em Bangladesh. E John recorda-nos, acima de tudo, que a América é um resumo de todos esses pensadores econômicos, bem como a visão de Isaías brotando com esperança eterna das cinzas de uma Jerusalém destruída.

John Bryant costumava me deixar morto de preocupação, mas, de repente, percebi que não era preocupação, era um aviso. Ele estava me chamando para a vida. Estava me exortando a perceber que uma pessoa não pode se dar ao luxo de desacelerar ou ficar cansada mesmo depois de oitenta anos de luta. Percebi que há muita coisa para fazer, que atualmente existe uma urgência na economia e no planeta que só pode ser respondida com a energia e a vitalidade inerentes à juventude e a experiência e a sabedoria inerentes à idade avançada, combinadas para criar uma corajosa nova ordem mundial.

Como prefeito de Atlanta, aprendi que, no que se refere a cidades, as economias nacionais são na sua maioria irrelevantes. Para sobreviver, as cidades devem unir-se em uma economia global. E a tecnologia, que transcende fronteiras, é muito mais poderosa do que quaisquer leis criadas por câmaras municipais, legisladores ou pelo Congresso.

John Bryant é um homem nascido no mundo das ruas e becos de Watts e Atlanta que agora frequenta salões com presidentes e príncipes e, provavelmente, fala com uma maior variedade de pessoas importantes em uma semana do que a maioria dos CEOs em um ano. Isso porque ele fala com pessoas importantes não só em recintos fechados, mas também nas ruas. Suas ideias vieram não de nossas universidades ou das ideias herdadas do mercado livre europeu, mas dos esforços e lutas de pequenas empresas e igrejas de bairros como aquele em que ele cresceu.

Sou fascinado pelo impacto que a experiência de John como bailarino do programa de TV *Soul Train* na adolescência teve em sua vida. Se há uma coisa que inspira autoestima, confiança e ritmo é a dança. Não apenas a dança de John no *Soul Train*, mas também a de um jovem Davi dançando em torno da Arca da Aliança, e de Nelson Mandela dançando desafiadoramente rumo à liberdade na África do Sul. A vida é uma dança, e, quando estamos cheios de ritmo e vitalidade, exalamos esperança e otimismo constantemente, tornando todas as coisas possíveis. Essa coisa de fracasso não existe. Deve-se seguir o exemplo de Frank Sinatra, levantar e voltar para a corrida, porque a vida é assim.

Isso faz de John um artista, bem como homem de negócios. Mas ele é um empresário que não está interessado em gerar riqueza pessoal, e, sim, em ajudar a despertar a vitalidade e o idealismo dos pobres do mundo para integrar essas pessoas e sua energia empreendedora, juntamente com seu poder de consumo. A esperança de John é revitalizar a economia global do século XXI.

Existe mais riqueza no mundo de hoje do que jamais existiu na história. Existe uma capacidade de criação e acesso à tecnologia maior do que nunca — tecnologia que vai de satélites orbitando a Terra a sondas geológicas nas profundezas do mar, tecnologia que prova que quase toda e qualquer coisa é possível. Ao mesmo tempo, existe também uma maior compreensão das necessidades mundiais do que antes. Podemos prever secas e podemos analisar falhas na superfície do planeta para regenerar o solo, como Howard Buffett nos lembra em seu livro *40 chances*.

A energia e vitalidade que John Bryant, um dervixe rodopiante de energia e agressividade, suscita não é a de um buscador comum, mas a de um vigilante que vê os perigos distantes do caos resultante de um alto número de jovens desempregados nas nossas cidades centrais e nos becos de Délhi, e nas agitações rurais que emergem entre os pobres da China. Ele é um vigilante que vê o terrorismo que assola o Oriente Médio e a inquietação entre as massas no Brasil, na África do Sul, Nigéria e Rússia.

Ele experimentou pessoalmente as estatísticas que Jim Clifton registra em seu livro profético *The Coming Jobs War*, que diz que um planeta com sete bilhões de pessoas não pode ser sustentado pelo trabalho de apenas 1,2 bilhão; que a sobrevivência da humanidade, rica e pobre, depende de se encontrar maneiras de mobilizar, inovar, de gerar mais um ou dois bilhões de empregos. Empregos não podem ser criados por guerras ou por governos. Empregos devem evoluir de alguma forma pela interação de visão, necessidade, energia e até de um pouquinho de ganância. Mas ganância sozinha produz a riqueza do abastado jovem governante que, após recolher suas riquezas em celeiros, é confrontado com a realidade de que "esta noite tua alma será exigida de ti".

John Bryant está apontando para uma escolha entre julgamento e jubileu. E penso que o Dr. King iria se orgulhar de seus esforços para nos inspirar a alimentar os famintos, vestir os desnudos, curar os doentes, pôr em liberdade aqueles que são oprimidos e, no processo, criar e desfrutar da vida abundante que a Bíblia promete para todos os filhos de Deus.

Andrew Young,
ex-embaixador da ONU,
organizador dos direitos civis
e prefeito de Atlanta

INTRODUÇÃO

Este livro é sobre salvar a América. Toda a América. Não os negros ou asiáticos, latinos ou nativos americanos. Não é sobre os brancos. É sobre todos nós. Como defendo aqui, seja você negro, branco, vermelho, marrom ou amarelo, cada vez mais todo mundo só quer ver mais verde — isto é, moeda norte-americana.

O Dr. Martin Luther King Jr. disse que o movimento de seu tempo se destinava a "redimir a alma da América dos males triplos do racismo, da guerra e da pobreza". Curiosamente, o trabalho do Dr. King também não era intrinsecamente sobre os negros. Os afro-americanos simplesmente calharam de estar na vanguarda da era que começou em 1958.

O Dr. King e meu mentor, o ex-embaixador das Nações Unidas Andrew Young, acreditavam sinceramente que fazemos uma América melhor, mais forte, mais resiliente, mais valiosa e mais valorizada quando a nação tem o benefício de todos remarem nas águas da prosperidade, da dignidade e da aspiração humana. Em 1968, o Dr. King voltou sua atenção para a Campanha dos Pobres, que abrangeu e procurou engajar toda a América, todas as raças. A realidade é que existem mais pessoas brancas pobres na América do que quaisquer outras.

Este livro enfoca os desafios e, mais importante, as oportunidades econômicas para a América. Não as oportunidades para 99% ou para 1%, mas as oportunidades para os 100% que compõem nosso conjunto e nossa força como nação. Por extensão, espero inspirar uma geração de líderes, aqui e em todo o mundo, para agir a respeito de coisas que anteriormente possam ter considerado insolúveis.

Entramos em um campo minado de perspectivas e controvérsias ao dizer que nos propomos a reinventar radicalmente a solução para a pobreza. E vamos ainda mais longe quando buscamos redefinir nossa compreensão coletiva de pobreza em si. Este livro pretende ser ousado, transformar as chamadas normas sociais e societárias.

Minha releitura radical da definição de pobreza é o que chamo de Doutrina HOPE sobre Pobreza. Essa abordagem para a definição de pobreza afasta-se do *status quo* porque a definição atual, com todo respeito, está completamente equivocada. É limitada por seu compromisso único com números. Porém, se restringimos a noção de pobreza a uma interpretação puramente estatística, como compreensivelmente é exigido de nosso governo, perdemos o elemento humano.

Ao falar sobre pobreza, sou uma voz discrepante. Há algumas coisas que *não* vou fazer:

- Não pretendo discutir sobre absolutos.
- Não sou economista. Não possuo graduação em economia. Então, não pretendo opinar sobre teoria acadêmica. Já temos teoria credível suficiente em circulação, e este não é um manual ou um tratado acadêmico de economia.
- Não vou lançar uma polêmica destinada a delimitar uma reivindicação de território filosófico. Também não possuo graduação em filosofia.

E deixe-me esclarecer: esse livro não é sobre socialismo e, definitivamente, não é sobre comunismo. O comunismo falhou completamente, e o socialismo simplesmente não vai funcionar nos Estados Unidos. O governo tem seu lugar em nossa sociedade, mas não podemos esquecer que 92% dos postos de trabalho nos Estados Unidos provêm do setor privado. Até a China, um país comunista, optou pelo capitalismo. Cheguei à conclusão de que o capitalismo é um sistema horrível — mas menos horrível que todos os outros sistemas. E ninguém nunca tentou fazer a livre iniciativa e o capitalismo funcionarem em grande escala para os pobres e para os outros deixados de fora e para trás na América.

Esse livro não é nada a não ser prático. E assim é a minha definição de pobreza. Depois de crescer na classe média-baixa em South Central Los Angeles e Compton, na Califórnia, depois de ser um sem-teto aos dezoito anos de idade e, depois de trabalhar com todos os tipos durante os últimos vinte e dois anos, de trabalhadores pobres, classe operária à classe média batalhadora nos escritórios da Operação HOPE, sinto que entendo a pobreza moderna.

A Doutrina HOPE sobre Pobreza diz que existem três coisas que definem pobreza e esforço mais do que qualquer conjunto de números financeiros: autoconfiança, autoestima e crença em si mesmo; exemplos e ambiente; aspiração e oportunidade. Ou a falta destas coisas.

Autoconfiança, autoestima e crença em si mesmo.

Neste país, se você acorda de manhã e não sabe quem é, até a hora do jantar, alguém lhe dirá quem você é. Se você não tem autoconfiança, você está em sérios apuros na América – e, talvez, em qualquer lugar.

Exemplos e ambiente.

Pense em sua família e sua comunidade imediata. Se

seus exemplos são negativos, a única aspiração que você vê ao seu redor é ilegal, e, se seu ambiente imediato é podre, seu bem-estar vai sofrer um verdadeiro baque.

Ao pensar nisso, por que alguém fica surpreso que jovens de zonas populosas pobres cresçam querendo ser estrelas de rap ou atletas — sem querer ser desrespeitoso com qualquer uma dessas profissões — ou, infelizmente, traficantes de drogas? A vida é muito simples: você toma por modelo o que você vê. Essa garotada não é burra, é brilhante. Está usando como modelo aquilo que vê.

Por fim, a vida trata-se de aspiração e oportunidade.

Se você não tem oportunidade, chance, ocasião de operacionalizar sua inteligência, seu talento ou sua educação, então a vida tem um telhado de concreto em vez de vidro. Você sente que tudo é em vão, então por que sequer tentar? Você perde a esperança, e a pessoa mais perigosa do mundo é uma pessoa sem esperança.

Colhendo no terreno dos pobres.

Ao buscar soluções reais e sustentáveis para a pobreza e para a falta de oportunidade que vejo todos os dias durante meu trabalho na Operação HOPE, cheguei a uma estranha conclusão: é provável que tenhamos jogado fora a chave para alguns dos traços de caráter necessários para levantar uma comunidade, criar um mercado emergente e empregos e fomentar as economias locais. Na verdade, lançamos fora a parte da sociedade de que precisamos para salvá-la, deixando que os idosos, os fracos, os jovens, as famílias problemáticas ou o trabalhador esforçado tradicional salvem uma comunidade vacilante.

O que aconteceria se todos esses jovens brilhantes, cujos principais modelos de "sucesso" em suas comunidades são traficantes, estrelas do rap ou atletas, em vez disso tivessem um exemplo adequado de profissão ou um estágio em uma empresa? Talvez mudasse tudo.

Mudou para mim.

O sistema capitalista é completamente desconectado dos "pequeninos", e esta desconexão enfraquece o sistema, pois as pessoas pensam que os pobres não são problema delas. A exclusão de pessoas — negando-lhes acesso à informação, financiamento e oportunidade — acontece quando o capitalismo é preguiçoso. O recuo para trás de nossos portões acontece quando o capitalismo tem medo. Por outro lado, uma colheita no terreno dos pobres é o que pode acontecer se estivermos todos dispostos a fazer o trabalho real, sustentável e transformador que constrói uma nação.

A colheita no terreno dos pobres tem dois lados. Sim, investimos nosso tempo e nossas finanças e, nosso investimento pode ser baseado em nossas crenças e desejos, mas também devemos respeitar o fato de que o terreno em si pertence aos pobres, aos carentes, às classes batalhadoras. O terreno pode conter apenas as ideias deles ou seu patrimônio de suor em forma de tempo, energia e compromisso com o avanço, mas, seja o que for, deve ser respeitado como deles. Deve ser valorizado, e é valioso.

Estou falando da criação de uma safra abundante incrível que impulsione o produto interno bruto e a bolsa de valores para as alturas, e isso é tão norte-americano quanto a torta de maçã. Na verdade, *é uma torta que produz mais torta*. Todavia, para termos a torta, devemos primeiro plantar, regar, cultivar e colher as maçãs.

O fato é que já fizemos isso antes. Esse cultivo humilde

e o compromisso de descobrir os talentos de todos deram início à América. Não fomos abastados nem capazes de nos distanciarmos de nós mesmos e uns dos outros desde sempre. Houve um tempo em que precisávamos uns dos outros. Desesperadamente. A América linda, como agora a conhecemos, outrora era constituída de gente falida e sem recursos, uma população majoritariamente imigrante que veio para cá para escapar da opressão e da vida limitada em algum outro lugar. A propósito, isso é algo a ser lembrado quando alguém fala sobre os "ilegais". A América é um balaio de "vagabundos" imigrantes do mundo inteiro, e a maioria de suas mais incríveis histórias de empreendedorismo de sucesso são também histórias de imigrantes batalhadores. Essas pessoas produziram um país que hoje é invejado por gente do mundo inteiro e que *ainda* quer vir para cá.

Mas ficamos confortavelmente surfando nesta onda por tempo demais, e agora é hora de produzir uma nova colheita.

Andrew Young me disse: "Os homens fracassam por três motivos: arrogância, orgulho e ganância". As três têm raízes na insegurança e no medo, e fazer algo errado ou totalmente egoísta acontece com mais frequência quando o medo e a insegurança tomam conta de nosso ser, de nossa razão interior. A chave para vencer é superar as inseguranças e medos, conquistar primeiro a nós mesmos e aprender a ficar razoavelmente confortável em nossa própria pele.

Não posso gostar de você, amar você, nem respeitar você a menos que eu goste de mim, me ame e me respeite primeiro. Mas o perigoso outro lado disso também é verdadeiro: se eu não tenho um propósito na minha vida, vou fazer da sua vida um inferno. Os pobres e carentes devem receber uma participação nesta coisa que chamamos de América, ou garanto que eles vão dilacerá-la — antes de derrubá-la. Isso não é uma declaração alarmista. A pessoa mais perigosa do mundo é uma pessoa sem esperança.

Então, não estou sugerindo que cultivemos o terreno dos pobres porque é moralmente correto, ainda que seja, mas porque simplesmente faz sentido, é bom e sustentável. Temos de fazer isso porque é a única coisa que resta a fazer e que tem 50% de chances de funcionar e beneficiar igualmente os poderosos e os destituídos. Longe de ser um dilema, portanto, a decisão de incluir os pobres é tanto óbvia quanto necessária. Se não queremos entregar a nossos filhos um mundo que simplesmente saiu dos trilhos da sanidade, é do autointeresse esclarecido de todos nós tomarmos as decisões certas agora.

Este livro é sobre salvar a América e reconduzi-la à promessa original, às ideias e ideais originais de sua fundação. Trata-se de plantar, nutrir e fazer crescer uma classe média sustentável, criando mais uma vez o que meu amigo Steve Bartlett, ex-presidente e CEO da Financial Services Roundtable, chama de "uma luz na colina".

É um lugar onde a nova definição de liberdade do século XXI é expressada como autodeterminação — a oportunidade que vem das próprias mãos e das ideias arrojadas pessoais ligadas à ação, risco pessoal, investimento pessoal e trabalho duro. Esse livro é sobre como criar um plano de negócios novo e sustentável que reconduza este país a seu grande sonho original, ousado e audacioso. Esta ideia é, ao mesmo tempo, totalmente liberal e a própria definição de conservadorismo.

Se eu der um milhão de dólares para um sem-teto, existe uma boa chance de que ele esteja falido e sem-teto de novo em, digamos, seis meses, porque ele não recebeu os nutrientes ou recursos adicionais que lhe permitiriam criar um caminho diferente para si mesmo. Solidariedade tem o seu lugar, e caridade pura é absolutamente necessária e essencial, talvez mais ainda hoje do que em qualquer momento da história recente. Mas apenas uma abordagem de empatia aplicada com inteligência, ao invés de uma dose de solidariedade generosamente espalhada, é sustentável no que tange à política nacional e a uma economia de mercado competitiva.

A América não é um país, é uma ideia. E podemos reinventá-la para que seja qualquer coisa que nos agrade.

Parte I

SEMEANDO ESPERANÇA

CAPÍTULO UM

América dividida e desigual

Tenho por meta virar de cabeça para baixo algumas "verdades" sobre economia, empregos, origem da riqueza e sobre quem tem a ganhar se utilizarmos os exércitos de pobres ignorados e "inconvenientes" e de trabalhadores pobres atualmente deixados à margem. Temos alguns grandes problemas e desafios a encarar, mas, a despeito do que possamos ouvir no noticiário da noite, os Estados Unidos continuam a ser a maior economia do mundo, com aproximadamente US$ 16 trilhões de produto interno bruto anual[1]. Nossos melhores anos não ficaram para trás. Temos enormes recursos humanos para a criação de riqueza e de oportunidades apenas esperando para serem acionados.

O futuro da nossa história econômica depende totalmente de derrubarmos os poderosos mitos sobre como a economia funciona para ricos, pobres, classe média e toda a gente no meio disso. Somos todos convocados a deixar nossas suposições confortáveis e a deter o esfacelamento do sonho americano que inicialmente construiu este país. Por exemplo: os consumidores — não as empresas ou governos — alimentam o grosso da nossa possante economia, com 70% da economia dependendo do gasto dos consumidores[2]. Isso significa que você e eu estamos movendo a maior economia do mundo ao comprar de tudo, de *cappuccinos* gelados a pás para recolher gelo, de gasolina para abastecer nossos carros até os próprios carros. O crescimento econômico sustentado e as fortunas dos outros 30% da economia representada por empresas e governos dependem, portanto, da vitalidade econômica dos consumidores comuns, a maioria dos quais não são ricos.

Estes norte-americanos comuns são gastadores muito mais confiáveis do que os ricos: os 80% na base da força de trabalho norte-americana gastam 90% de sua renda, enquanto o 1% mais rico gasta apenas 49%[3]. O norte-americano médio não pode se dar ao luxo de *não* gastar a maior parte do salário nas necessidades básicas da vida, mas os ricos simplesmente ganham demais para gastar tudo.

Os norte-americanos comuns são o carvão que alimenta nossa locomotiva econômica, e, se Wall Street, os bancos e grandes corporações querem fazer dinheiro e aumentar sua riqueza, precisam que esse segmento da economia se torne mais forte e estável em termos econômicos. Isso, invariavelmente, significa expandir as oportunidades por meio de empregos bem remunerados e pequenas empresas, juntamente com e a inclusão e o *know-how* financeiros.

Mas a "base" de 80% dos consumidores, a espinha dorsal da economia, possui apenas 11% do dinheiro da nação.[4] Atualmente, estamos construindo os 70% de nosso crescimento econômico que são impulsionados pelos consumidores nas costas de quem tem uma participação de apenas 7% no sistema, e até dez milhões dessas famílias de consumidores não têm sequer uma conta bancária.[5] Quando os pobres, os carentes e a classe média batalhadora começam a se sentir inquietos quanto ao futuro, ou quando ficam sem trabalho ou sem dinheiro, param de gastar em produtos de consumo. E, quando param de fazer isso, todo o resto também para. As pessoas que movimentam nossa economia recebem pouca consideração, ainda menos respeito e quase nenhuma deferência. Embora o sistema funcione bem para alguns, está deixando muitos para trás e, como resultado, compreensivelmente, está chegando ao fim. O que poderia acontecer se nós, em vez disso, depositássemos fé e confiança e apoiássemos aqueles que realmente podem levantar a nossa economia — que já fazem isso simplesmente por meio de seu consumo? Imagine se visualizássemos os pobres como algo que não uma ferramenta a ser usada, explorada e tomada como algo sem valor. E se realmente valorizássemos os pobres? Afinal de contas, os ricos precisam dos pobres, quanto mais não seja para permanecerem ricos.

Ajudando os pobres a transformar a América

Temos que valorizar os pobres e, por meio deles, transformar a América. Como disse o Dr. King em sua palestra no Nobel de 1964, "nenhum indivíduo ou nação pode ser grande se não se importa com 'os pequeninos'". O Dr. King estava se referindo a Mateus 25:40, onde Jesus diz: "Quantas vezes o fizestes a um destes meus irmãos mais pequeninos, a mim o fizestes". Acredito que o Dr. King foi moralmente correto e economicamente profundo.

Não temos que nos contentar com o capitalismo do jeito que o temos ou do jeito que tem sido. Podemos remodelar e reinventar o capitalismo ao nosso gosto e, então, fazer algo além de reclamar dele. Podemos fazer a livre iniciativa e o capitalismo, finalmente, funcionarem de verdade para os pobres, as classes batalhadoras e os filhos pequeninos de Deus. O mundo nunca tentou isso em grande escala, mas este é exatamente o meu plano. Nesse plano, cada um tem um papel a desempenhar, não só o presidente e outras autoridades eleitas, grandes empresas ou grandes bancos. Este é o nosso país, o nosso mundo e as nossas comunidades, e, se é para haver mudança, devemos dirigir essa mudança.

Reinventando os pobres

Então, o primeiro mito que precisamos derrubar é a ideia de que os pobres, de alguma forma, não são relevantes para o nosso crescimento econômico. O segundo mito é de que os pobres, de alguma forma, fizeram isso a si mesmos — de que são todos vagabundos e merecem ser pobres porque são preguiçosos, têm maus hábitos ou possuem uma ética de trabalho horrível. Nossa lógica a partir desses mitos é a seguinte: "Por que devo ajudar alguém que merece o que tem?". Isso faria todo o sentido se fosse verdade.

Até eu costumava pensar dessa forma. Negro, criado no centro pobre da cidade, em uma vizinhança diversificada de famílias esforçadas e batalhadoras, aluno de escola pública, eu tinha que encontrar uma maneira de lidar com toda a dinâmica que vinha de encontro a mim diariamente, de lidar com pessoas difíceis e de me safar de praticamente toda situação difícil. Nunca fui o garoto maior, ou mais durão e, ao contrário dos ricos desta nação, eu não poderia construir o equivalente a um portão em torno de minha existência, então tive que tentar ser o mais inteligente. Na época, uma das maneiras de lidar com o que vi foi a racionalização. Pensei que eu entendia de pobreza. Convenci-me de que os pobres que eu via eram todos vagabundos e tinha uma dúzia de motivos para ficar contra eles. Agora sei que eu estava errado e também sei que racionalizar é contar mentiras racionais. Eu estava apenas me enganando. E este é o pior engano.

O que eu não entendia eram todos os fatores externos que ajudaram a evitar que eu me tornasse um "deles". Tive uma mãe que dizia que me amava e um pai que foi o modelo exemplar do que eu precisava ver nos negócios.
Quando eu tinha nove anos de idade, um banqueiro foi à minha sala de aula e desvendou o misterioso mundo da livre iniciativa e do capitalismo, explicando-me a "linguagem do dinheiro", a alfabetização financeira. Eu estava totalmente focado em sonhos e tão esperançoso quanto ao meu futuro que raramente notava as causas reais de todo o drama e caos que me cercavam diariamente — falta de educação financeira, falta de acesso a serviços bancários e crédito, falta de imóvel próprio, falta de exemplos e de oportunidades.

Não saí de lá porque era o garoto mais brilhante ou mais talentoso do meu quarteirão. Conheci muitos garotos mais brilhantes, mais talentosos, que acabaram em um beco econômico sem saída ou simplesmente mortos. Eu saí e me dei bem por causa do fator esperança que cercou e abrangeu minha vida. Contudo, quando essa magia não acontece na vida de uma criança e quando os fatores que drenam as oportunidades acontecem com certa frequência, a garotada começa a perder a esperança. E a pessoa mais perigosa do mundo é uma pessoa sem esperança.

Quando um certo número de pessoas é privado de esperança com certa frequência e por certos períodos de tempo, a cultura da comunidade é sequestrada. Sequestrada por bandidos e pela cultura da bandidagem. Sequestrada por todos os elementos e operadores que se apoderam e até mesmo vivem da perda de esperança. Ao longo do tempo, pessoas, culturas e comunidades respondem internamente à forma como são tratadas externamente. Diga às pessoas que elas não são valiosas ou importantes, e, com o tempo, muitas começam a acreditar nisso.

Recriando um caminho para a classe média

A pobreza de esperança não pode ser resolvida com um apartamento bacana, um carro novo, nem mesmo com um novo prédio de escola em um bairro. Esse problema tem de ser atacado por todos os lados para se evitar um ciclo de autoperpetuação no qual a própria miséria dos pobres parece justificar a pobreza em si, no qual chegamos a pensar nos pobres como membros não contribuintes da sociedade que de alguma forma fizeram isso a si mesmos. É preciso recuperar aquela velha esperança de que, se você trabalhar duro, mantiver o nariz limpo, for para a escola e tirar boas notas, pagar os impostos e as dívidas emocionais, isso contará a favor em uma tentativa séria de realizar o sonho americano, e seus filhos terão uma chance legítima de viver uma vida ainda melhor do que a sua. Hoje, esses dois sonhos parecem despedaçados não só para os pobres e carentes, mas também para a classe média batalhadora. Hoje, a aposta parece estar cancelada, ou até mesmo perdida, e a crise que está se espalhando agora é mais de perda de confiança do que de perda de patrimônio líquido ou de valor dos imóveis.

As pessoas não se importam de correr riscos e perder um pouco, talvez até muito, contanto que acreditem que ainda exista uma chance legítima de realizar o sonho. As pessoas não se importam que os sortudos, os afortunados e os trabalhadores esforçados fiquem ricos, porque, para ser franco e honesto, todas querem ser ricas também. O problema surge quando as pessoas começam a acreditar que o jogo está viciado, que não importa o que façam, elas simplesmente não conseguem ir adiante. É nesse ponto que um ceticismo saudável se transforma em um cinismo destrutivo.

Os caminhos para a classe média são cada vez mais

escassos ou obscuros, mas, infelizmente, a maioria das pessoas não afetadas não se importa. A pobreza não foi debatida, nem sequer substancialmente abordada na eleição presidencial mais recente. Está fora de moda falar dos pobres, e mais ainda ser pobre. E, mesmo entre aqueles que querem ajudar, a resposta com frequência é: "Eu adoraria ajudar, contanto que a solução não aumente meus impostos, não me cause incômodos, nem aconteça no meu quintal".

Mas todos nós devemos nos importar, porque o destino dos pobres é o destino de todos nós.

Considere Detroit, Michigan, que recentemente decretou falência. Há cinquenta anos, Detroit era um polo econômico, um centro de cultura e de empregos, sede de algumas das maiores indústrias, empresas e uma grande referência em termos de polo empregador no mundo, fornecendo automóveis fabricados nos Estados Unidos para uma florescente classe média norte-americana. Empregos estáveis, bons salários e benefícios alimentavam uma classe média próspera, e famílias e bairros prosperaram. Naquela época, Detroit era a quarta maior cidade do país, com mais de dois milhões de habitantes, e vangloriava-se da maior renda per capita dos Estados Unidos.

Hoje, a indústria automobilística no todo é uma sombra do que já foi, e, depois de décadas de decadência e debandada, a população de Detroit diminuiu para cerca de setecentos mil, e a taxa de desemprego situa-se em mais de 18%. Aqueles empregos estáveis e bem remunerados foram substituídos por tecnologia e competição global, resultando em um colapso total da economia. Não foi culpa dos trabalhadores. O que aconteceu foi que as lideranças de Detroit perderam de vista essa linha histórica, e uma cidade para muitos, que encontrou uma maneira mágica de andar na crista da onda, tornou-se cada vez mais uma cidade para poucos, onde todos os interessados conduziram o sonho original para uma profunda vala fiscal. Os líderes esqueceram a classe trabalhadora que inicialmente fez a cidade. Detroit fez coisas e Detroit refez coisas, mas Detroit não reinventou como as coisas poderiam ser, em vez do modo como simplesmente acabaram sendo hoje.

Por exemplo, a missão, visão e propósito originais dos sindicatos de Detroit era unir os trabalhadores para que se protegessem e garantir um padrão de vida decente. Mas, hoje, a maioria das pessoas em Detroit não sabe dizer qual era a missão original. Em vez disso, os sindicatos começaram a ver seu papel simplesmente como "garantidores" de empregos, aumentos e benefícios, a ponto de o seguro de saúde do trabalhador ser hoje uma das maiores despesas de uma montadora de carros em Detroit. A General Motors planejava gastar mais de US$ 60 bilhões com o seguro de saúde dos empregados, uma média de US$ 1.400 por automóvel saído da linha de montagem.[6] Assim, sua maior despesa seria os benefícios dos empregados, não um motor de nova tecnologia que funcione com combustível alternativo ou um sistema de emissões recém-projetado para reduzir os níveis de dióxido de carbono.

Detroit quebrou muito antes de ir à falência; ficou sem ideias. Isso não é culpa dos pobres, mas é uma das razões para os pobres permanecerem pobres, e é uma das razões para Detroit ter se tornado o maior caso de falência municipal da história norte-americana.

Considere agora Chicago, uma cidade a perigo e ao mesmo tempo no momento crucial do século. A cidade pode seguir um rumo ou outro — tornar-se um modelo para a transformação marcante de cidades, ou afundar. Chicago é um motor econômico do Centro-Oeste, sede de inúmeras empresas Fortune 1.000; todavia, Chicago hoje é duas cidades em uma. Existe a Chicago chique, uma Meca do turismo nacional, e a outra Chicago, que os locais chamam de "Chi-raque" — uma zona de guerra sufocante, onde 45 jovens de comunidades urbanas de baixa renda foram baleados ou esfaqueados em um fim de semana.[7]

As autoridades de Chicago, compreensivelmente, estão lançando mão de tudo o que podem para resolver o problema, desde o aperto na aplicação da lei e penas mais severas às opções dos tradicionais empregos de verão para jovens. Em outras palavras, soluções tanto reacionárias quanto visionárias, tanto baseadas no medo quanto baseadas na aspiração. Mas a atual safra de incentivos aspiracionais não é muito inspiradora. Em vez disso, é meramente funcional. E isso é um problema.

Nenhum sindicato ou força policial, por mais poderosos que possam ser, consegue manter viva a economia da cidade por si só. Do mesmo modo, cidades não prosperam por causa da aplicação da lei, embora sociedades civilizadas exijam ambas as coisas. As cidades prosperam quando há um alto nível de energia econômica individual e, pelo menos, a percepção de oportunidades suficientes para todos.

E tudo isso refere-se a uma única coisa: esperança concretizada através de um caminho para a classe média. Isso requer subsídios e oportunidades para que todos se tornem parte interessada no sonho da cidade. Não um credor do sonho, não um requerente, usurpador ou pescador de arrastão do sonho, mas uma parte interessada, participante, parceira nesse sonho. O mais importante não é o que conseguimos, mas o que temos que dar.

Se queremos salvar a América, temos que salvar suas cidades, e a única maneira de salvar as cidades norte-americanas é com um caminho vibrante e acreditável para o sonho americano da classe média. As pessoas e famílias da classe média não querem guerra ou disputa, querem ir às compras! Na verdade, só querem oportunidades econômicas. O melhor estabilizador de sociedades, aqui e em todo o mundo, não são jovens de vinte anos armados com fuzis de assalto AK-47, mas garotada de dez e quinze anos armada com esperança, energia econômica, oportunidade e o sonho de uma vida melhor que a de seus pais. Atualmente, a energia econômica dos pobres é negligenciada ou desperdiçada. Eles estão fora do sistema.

Ensinando a linguagem do dinheiro

Está na hora de um renascimento da América, na América, pela América. Está na hora de reinventar tudo. Atualmente, estamos confortáveis ajudando os pobres com filantropia, assistência do governo ou microfinanciamentos, mas essas soluções são todas inadequadas. Os pobres não precisam só de "ajuda": precisam de investimento. Precisam ser tratados como clientes e criadores de emprego.

O principal condutor da liberdade no mundo hoje não é o voto, mas o acesso ao capital e conhecimento sobre como o usar (autodeterminação). Isso significa educação em princípios financeiros básicos, capacitação financeira e empoderamento financeiro e econômico. Se as pessoas não entendem o idioma global do dinheiro, se não têm uma conta em banco ou cooperativa de crédito, são simplesmente escravas da economia. Assim, o acesso ao financiamento e ao ensinamento dos princípios básicos das finanças é uma nova questão de direitos civis.

Cheguei onde estou em virtude da restauração de direitos ocasionada pelo movimento dos direitos civis na América. Tive condições de sonhar grandes sonhos quando criança por causa da luta, dos sacrifícios e do investimento feitos por minha mãe, meu pai, meus tios e tias, meus avós, bisavós e outros. Eu tive grandes exemplos. Mas essa história e essas pessoas não poderiam me ajudar totalmente a chegar ao lugar aonde eu queria ir, o lugar onde os pobres, os carentes e as classes batalhadoras precisam ir.

Os pobres e os carentes nunca tiveram um memorando, um manual ou qualquer educação em livre iniciativa e capitalismo responsável. Bairros e comunidades pobres simplesmente fazem as regras conforme o desenrolar dos acontecimentos. Não causa surpresa que essas comunidades tenham ficado para trás, o espantoso é terem feito um trabalho deveras impressionante sem nenhuma ajuda, quase sem nenhuma orientação e zero exemplo de criação de riqueza real. Infelizmente, a vasta maioria desses atalhos econômicos implode com o tempo.

Meu pai, o empresário em quem mais me espelhei enquanto crescia, acordava cedo todos os dias, trabalhava o dia todo, muitas vezes seis dias por semana, chegava em casa tarde. Ele também empregava outras pessoas e foi a própria definição de "trabalho duro". A certa altura, possuiu um pequeno negócio, um posto de gasolina, um prédio de oito unidades, até nossa casa.

Ele também dirigiu uma empreiteira, assentando calçadas e construindo as mais belas paredes de tijolo. Mas ele tinha uma forma única de contratar serviços. Simplesmente cobria qualquer proposta, o que significava que, embora meu pai pegasse a maioria dos serviços, também perdia a maior parte do dinheiro. Para cada dólar que ganhava, ele gastava cerca de US$ 1,50, o que significava que, quanto mais dinheiro ele ganhava, mais quebrada nossa família ficava. Depois de 55 anos dirigindo um negócio dessa forma, meu pai terminou sua surpreendente carreira totalmente falido. Após uma carreira de trabalho duro, poupança e sacrifício, perdeu tudo. Ele sabia tudo de trabalho duro, mas não havia aprendido quase nada sobre a linguagem do dinheiro, o princípio básico das finanças.

Não só perdemos tudo, como nossa família também se desfez. Minha mãe e meu pai se divorciaram; meu irmão nunca conseguiu ir para a faculdade. Meu pai fez uma série de jogadas financeiras ruins que, com o tempo e como um dominó, finalmente descarrilaram todas as nossas aspirações de vida. Mas não foi totalmente culpa dele.

Isso é só um exemplo pessoal. Existem inúmeras histórias sobre astros do rap pobres que ficam famosos ou atletas profissionais que assinam contratos milionários. Essas superestrelas ganham dinheiro, mas, quando se trata de descobrir o que fazer com ele, partem para o improviso. E improvisar com uma oportunidade única desse tipo geralmente funciona muito mal. Sessenta por cento dos jogadores da NBA e alarmantes 78% dos jogadores da NFL decretam falência cinco anos após a aposentadoria.[8]

Ou olhe os caras que vendem drogas: no fim, os ativos deles resumem-se a um guarda-roupa legal, um carro bacana (atrelado a um financiamento horrível) e um maço de notas de dólar que mal podem esperar para torrar. Não possuem imóveis, não têm nenhuma poupança e, na maioria dos casos, não têm sequer uma conta bancária. Vivem essencialmente uma versão cara e envernizada da vida com pouco ou nenhum propósito.

Quando os jovens não recebem educação financeira e quando as escolas não parecem conectar o poder da educação com o poder da aspiração, eles compreensivelmente começam a procurar atalhos para o sucesso financeiro. E, quando esses atalhos são modelados pelos atalhos badalados que as pessoas veem na TV ou pelas coisas que veem em suas comunidades, elas ficam propensas a rumar para o mais intenso e mais doloroso fracasso. Nenhum desses lances funciona a longo prazo. Só são bons no momento. É a verdadeira definição de ganhar batalhas e perder guerras.

Isso se propaga em um ciclo autoperpetuante. Muitas comunidades norte-americanas exibem essa versão de curto prazo, "pra já", "parece sucesso então deve ser", do improviso em larga escala. Adicione uma cultura de bandidagem que, cada vez mais, abandona a escola e, ao mesmo tempo, perde a esperança e você tem uma receita para a crise da sociedade norte-americana dentro de vinte anos.

Simplesmente não é sustentável, e tudo isso alimenta a desesperança e se alimenta dela. O que precisamos agora é de um *reset* e de um novo plano de negócios baseado em um modelo de ensino dos princípios básicos das finanças ou o que poderíamos chamar de "alfabetização" financeira.

Liberdade da autodeterminação

Contudo, alfabetização financeira, acesso a crédito e serviços bancários não são suficientes sem oportunidades. No século XX, a definição de liberdade ficou atrelada ao que estava acontecendo no resto do mundo — um punhado de movimentos decisivos para democracias emergentes, conduzidos por líderes como Michael Collins na Irlanda, Mahatma Gandhi na Índia e Nelson Mandela na África do Sul.

Os Estados Unidos, é claro, foram abençoados com líderes como Julian Bond, Amelia Boynton, Medgar Evers, Marian Wright Edelman, Drª. Dorothy I. Height, Reverendo Leon H. Sullivan, Dr. King, o congressista John Lewis, A. Philip Randolph, Reverendo C. T. Vivian, Andrew Young e

Whitney Young, liderando movimentos locais de direitos civis.

Em cada um desses lugares, o tema principal era a raça, a cor e os conflitos sociais, e a cura quase sempre foi a democracia e o direito ao voto, que, por sua vez, finalmente desencadearam mudanças reais na liderança pública, leis importantes e políticas públicas que regem questões fundamentais de justiça e equidade. Olhando o século XX em retrospecto, acho justo dizer que a democracia realmente ganhou essa luta.

A democracia continua a lutar em partes do mundo onde ainda não se é livre para votar, sonhar ou criar por conta própria. Mas os temas enfrentados hoje em grande parte do mundo são diferentes. Hoje, a nova definição de liberdade é autodeterminação. Recentemente, utilizei um serviço de carros de Washington, D.C. de um paquistanês que havia imigrado para os Estados Unidos, rapidamente construindo uma família e uma vida inteiramente nova. Quando perguntei por que ele tinha vindo para os Estados Unidos, arriscando tanto para chegar aqui, deixando sua vida e família para trás na terra natal, a resposta dele foi uma palavra: *liberdade.* Então perguntei por que ele tinha escolhido aquele negócio específico, que provavelmente não ia deixá-lo rico e no qual, como meu pai, ele trabalhava em longas jornadas, às vezes nos finais de semana, com frequência nos feriados. Novamente, a resposta foi simples, instantânea e uma palavra: *liberdade.*

Aquele homem não veio para a América para ficar rico; veio por um sentimento. Ele estava gerindo seu pequeno negócio próprio — o coração do sonho americano — para ganhar a vida, sim, mas, o mais importante, de um jeito que pudesse fazer o que gostasse, quando gostasse, como gostasse. Ele podia escolher quem entrava em seu carro, quem ficava e até quem voltava. Ele tinha a opção de tirar um só período de férias por ano com sua família ou trabalhar mais alguns dias em um mês e tirar duas férias no mesmo ano.

Ele também desfrutava de uma série de outros benefícios. Podia colocar o filho na escola pública em uma nação livre ou podia trabalhar um pouco mais e colocá-lo numa escola particular. Mais tarde, poderia optar por mandá-lo para a uma faculdade ou universidade. Ele não estava focado em fazer seu negócio crescer um determinado percentual ao ano, acumular uma certa riqueza em sua conta bancária, ou alcançar um determinado retorno quantificável sobre o patrimônio líquido. Em vez disso, estava focado em viver sua versão do sonho americano — uma vida autodeterminada.

Esse senso de autodeterminação começa com dignidade financeira. Devemos avançar de um legado de direitos civis para alguns que eu chamo de empoderamento dos "direitos de prata" para todos. Garantir conhecimento dos princípios básicos das finanças e oportunidades econômicas é o tema dos direitos civis para esta geração, e a verdadeira solução em locais problemáticos aqui e em todo o mundo é criar oportunidades de emprego — e não apenas empregos patrocinados pelo governo. Alguns desses empregos terão base ampla, de empregos no setor privado a empregos corporativos recém-criados para universitários. Contudo, ainda mais importantes são os postos de trabalho em pequenas empresas e o poder mágico do empreendedorismo que os cria.

Devemos deslocar cem milhões ou mais de norte-americanos (aproximadamente um terço da população dos EUA) para os inserir em uma verdadeira participação no sistema de livre iniciativa, ancorada com educação, autoestima, escolha real e oportunidades reais para todos. Não quero apenas que ricos e pobres pensem por si mesmos, também quero que pensem de maneira diferente. Quero que reinventem tudo e depois façam algo a respeito disso em suas vidas. É a isto que me refiro quando falo sobre riqueza. Tem a ver com entregar o memorando para famílias que nunca receberam um.

Restaurando a esperança

Proporcionar às pessoas alfabetização financeira e uma oportunidade para a autodeterminação significa dar esperança. Mas o inverso também é verdadeiro: fazer este país funcionar para as massas de norte-americanos batalhadores, a classe média e aqueles que querem se unir a eles um dia depende do poder da esperança em si. A esperança é tão poderosa que você só precisa de uma superminoria para mudar o mundo. Com efeito, Shane Lopez, cientista social destacado na medição do impacto e poder da esperança, verificou que a esperança é um melhor indicador de sucesso acadêmico e das taxas de conclusão do que as notas do ACT e GPA combinadas.[9] O fator esperança, conforme o descrevo, é a sensação geral de que, se você seguir as regras, será recompensado com uma oportunidade de sucesso ou fracasso por seu próprio mérito. Quando a pessoa comum já não acredita que a coisa seja assim, todas as apostas são canceladas, e toda a sociedade está ferrada. No fim das contas, não se trata de uma crise econômica na América, é uma crise de valores e virtudes. Não é o que estamos fazendo, mas o que somos.

Ninguém tem êxito a longo prazo, e nenhuma sociedade pode alcançar o sucesso sustentável a longo prazo permanecendo focada no que é contra. A retórica altaneira de nossa Constituição, nossa Declaração dos Direitos e até mesmo dos melhores planos de negócios são todos do tipo "sou a favor de". Tudo é construído com base na esperança e nos intangíveis da crença. O que os pobres precisam agora é de ação e de um plano baseado naquilo em que a América é a favor, em um mundo perito em descobrir coisas para ser contra. Temos de ser a favor e trabalhar no sentido da alfabetização financeira e do acesso para todos. Devemos ser a favor de proporcionar às pessoas a educação e a oportunidade de descobrirem e seguirem seus próprios caminhos para a autodeterminação.

Pense na mágica que o movimento *Occupy Wall Street* poderia ter operado se tivesse feito mais do que simplesmente canalizar uma frustração com o capitalismo. Pense sobre o poder de desenvolver um sistema econômico alternativo e, em seguida, apresentar essa visão arrojada, prática e convincente à América. Houve um momento em que todos comprariam esse sonho. Até mesmo a mídia queria publicar algo sobre quais poderiam ser as metas de uma geração e o plano de ação para concretizá-las. Pode ter sido uma oportunidade perdida, mas a oportunidade ainda existe. Devemos aproveitar a esperança, deixando de falar sobre o que somos contra para trabalhar no sentido do que somos a favor. Isso criará energia econômica positiva, isso muda o tom e a cultura do ambiente em que vivemos e nos eleva. Pobreza dos negros, pobreza dos brancos, é tudo pobreza.

1

CAPÍTULO DOIS

Um novo olhar sobre a disparidade de renda

Os pobres não são quem poderíamos pensar que fossem. O método tradicional do governo para aferição da pobreza é compreensivelmente financeiro e quase que estritamente fiscal, medido pelo que se chama de "termos absolutos". O governo federal define os pobres da América como aqueles que ganham aproximadamente US$ 23.050 por ano para uma família de quatro pessoas.[1] O Gabinete do Censo dos Estados Unidos informa que 16% da população norte-americana vive na pobreza, incluindo 20% das nossas crianças. E todos os números pioraram nos últimos vinte anos. Na verdade, entre as idades de 25 e 75 anos, 58,4% dos norte-americanos vão passar pelo menos um ano abaixo da linha de pobreza definida pelo governo.[2]

No entanto, as estatísticas do governo federal sobre pobreza, por mais precisas que possam ser, não definem de modo algum a condição absoluta da experiência norte-americana de pobreza. A pobreza real que devemos combater é um estado de ser e não uma simples declaração de condição financeira. Está muito mais ligada à aspiração, emoções, psicologia e esperança do que à análise financeira ou material. Portanto, minha abordagem reflete economia comportamental ao invés de economia tradicional.

Acredito que definimos a pobreza na América de forma excessivamente estreita. Por não entendermos, realmente, a pobreza, nós a rotulamos erroneamente, desassociamo-nos dela e, então, envergonhados por termos algo dela como parte de nossa experiência americana prístina, trancafiamos a pobreza numa espécie de caixa psicológica reprimida rotulada "Eu não; nós não".

Discutir a pobreza na América de hoje é, sem dúvida, ainda mais tabu do que discutir raças. Pelos menos falamos sobre raças. Temos vergonha do que achamos que sabemos e compreendemos sobre pobreza, e o resultado, como com todas as formas de vergonha, é não querermos lidar com ela. E isto naturalmente torna a solução quase impossível.

Meu objetivo é expandir e aprofundar a definição de pobreza; diluir, redefinir, reinventar e, mais importante, remover a vergonha desta definição. Substituí-la pelo único rótulo de que precisamos: *esperança.*

Os pobres não são quem pensamos que eles são

Gostaria de me afastar do argumento improdutivo em torno da pobreza e me voltar para uma releitura mais ampla do que significa ser pobre, refletindo a realidade moderna que muitas vezes se perde na dialética puramente estatística. Para resolver este conflito interno, recomendo reformular a discussão acerca do que poderíamos chamar de "classe na corda bamba".

Muitas vezes, ficamos emaranhados na definição de pobreza como um problema exclusivamente de renda, pensando que apenas pessoas de baixa renda são pobres ou sofrem as consequências da pobreza. Isso é enganoso e francamente destina-se a induzir a erro em alguns casos, a reduzir a discussão a um argumento que raramente pode ser resolvido. Não quero discutir este ponto.

A América tem uma classe de pessoas de todos os estilos de vida na corda bamba, vivendo com uma sensação de incerteza atordoante. Não são apenas os pobres. Existem os praticamente pobres, os quase pobres, os possíveis pobres, os que foram pobres, os realmente pobres, os mais ou menos pobres, os temporariamente pobres e, claro, os persistentemente pobres. Essa classe de norte-americanos é difícil de definir. Ela estende-se através das linhas tradicionais de classe, de raça e econômicas. Inclui pessoas que trabalham e não ganham o suficiente para cobrir suas despesas, seja uma mãe solteira de baixa renda que ganha a vida como garçonete ou um contador de nível médio casado ganhando US$ 50.000.

Elas representam uma população multirracial diversificada, mas interconectada de norte-americanos comuns, heróis e heroínas do cotidiano, vivendo por demais com dinheiro de menos para os gastos mensais. Elas vão aos trancos de um salário para o próximo, de uma emergência para outra, a um passo dos avisos de cobrança, das multas por atraso, dos juros do cheque especial e dos cortes no fornecimento de serviços. Essa sensação de preocupação perpétua atormenta a psique de uma pessoa e, ao longo do tempo, começa a corroer seu senso de autoconfiança.

Essa classe de pessoas mantém a América forte e em movimento. Essas pessoas estão criando famílias em lares tanto grandes quanto pequenos, tanto urbanos quanto rurais, tanto negros quanto brancos, e de alguma forma, estão encontrando maneiras criativas de se sustentar e viver a vida com dignidade. Muitas vezes, veem-se esperando, contra as probabilidades, que tudo simplesmente venha a dar certo por si. As recentes crises econômicas forçaram muitos daqueles que chamamos de classe média para dentro dessa nova realidade da classe na corda bamba, com as características incapacitantes associadas. “Classe média”, certa vez, significou estabilidade, fosse para um trabalhador braçal como um operário de fábrica ou para um trabalhador “de colarinho branco”, como um professor universitário. Estabilidade no emprego e de renda significavam que um dos pais podia ficar em casa para criar os filhos.

Na economia atual, muitos membros da outrora classe média operária caíram na pobreza, deixando a classe média em retração e composta de mais trabalhadores de “colarinho branco”, mas com os dois pais trabalhando. Esses pais estão competindo com as ruas para criar os filhos e, depois de vinte anos de trabalho duro e sacrifícios, muitos verificam que não estão ganhando dinheiro algum a mais.

A classe média de hoje está numa corda bamba precariamente empoleirada sobre o precipício da ruína financeira. É insegura, instável e trêmula de incerteza, não só sobre seu próprio futuro, mas também sobre o futuro dos seus filhos. Os norte-americanos da classe média estão preocupados e envergonhados porque, pela primeira vez em um século, parece que o futuro de nossos filhos pode não ser tão brilhante quanto o nosso. Esta é a classe na corda bamba: ansiosa, insegura, estressada, sobrecarregada e preocupada. Essa classe — essa classe psicológica — provavelmente apresenta tanto altos quanto baixos rendimentos, sejam pessoas vivendo com US$ 75.000 em uma grande cidade ou com US$ 15.000 em Des Moines, Iowa. Uma renda anual de US$ 50.000, que é o salário de aproximadamente metade de todas as famílias norte-americanas, é o ponto no qual o padrão de vida se torna apertado em uma cidade como Washington, D.C. Assim, essa condição é distinta da absoluta e está mais relacionada à gestão geral de dinheiro e estabilidade a longo prazo.

Os efeitos emocionais e psicológicos de fazer parte da

classe na corda bamba são muitos. Em primeiro lugar, resulta em falta de autoconfiança e autoestima. Isto é cerca de metade do problema. Na América, uma pessoa que não se sente bem a respeito de si mesma está ferrada. Se você não acredita em si mesmo, ninguém mais acreditará. Em segundo lugar, a pobreza resulta na falta de exemplos positivos e em um péssimo ambiente na comunidade imediata. Por fim, a pobreza produz carência de oportunidades em educação, de qualidade educacional e de aproveitamento escolar; falta de riqueza nos relacionamentos, ou "quem você conhece", e falta de acesso a capital e conhecimento, financeiro ou de outro tipo.

Uma pessoa pode experimentar duas destas características incapacitantes e sobreviver, quem sabe até sentir-se bem-sucedida, talvez até por um longo tempo. Mas uma pessoa que experimenta as três tem uma pequena chance — ou nenhuma chance — de sucesso na América.

Este desvio tem danificado a autoestima e a autoconfiança dessas pessoas, bem como seu acesso a oportunidades reais, sustentáveis. Muitas agora estão entre as permanentemente desempregadas, que ficaram sem trabalho por seis meses ou mais, e, no novo mercado de trabalho, muitas que outrora recebiam US$ 75.000 ou US$ 100.000 por ano estão se arranjando em oportunidades de emprego que pagam de US$ 40.000 a US$ 50.000 por ano. Em volta delas, os exemplos positivos e aspiracionais reduziram-se significativamente, à medida que seus pares, familiares e amigos também perderam empregos ou mudaram de emprego, e seu ambiente imediato sofreu graves golpes na aspiração e esperança.

Adicione a isso o aumento do custo de vida global ao longo dos anos, a constante migração das zonas rurais para as grandes cidades e a paralisia da renda geral na América ao longo de trinta a quarenta anos, e você tem famílias de classe média que na verdade se sentem pobres.[3]

Contudo, se indivíduos que ganham US$ 50.000 por ano estão lutando para se manter, quais as perspectivas dos que ganham US$ 25.000 por ano, com dois filhos e escolaridade equivalente a ensino médio? Considerando-se que 76% de todos os norte-americanos estão vivendo de salário em salário[4] e que mais de 60% do produto interno bruto norte-americano é impulsionado pelos consumidores[5], estamos efetivamente matando de fome o nosso principal motor econômico — a classe média norte-americana e aqueles que aspiram se juntar a ela.

Oportunidades (não) batendo

As pessoas que encaram essa nova definição de pobreza têm mais probabilidade de ser alguém de quem ouvimos falar no noticiário. Todas têm uma coisa em comum: vivem fora do cinturão de oportunidades norte-americano.

Obviamente, as pessoas não acordam um dia e decidem ser pobres, tampouco querem que seus filhos sejam pobres. A maioria dos pais quer que seus filhos sejam cidadãos bem-sucedidos, trabalhadores, contribuintes, tanto para o próprio bem deles quanto por uma questão de orgulho. Mas as pessoas não podem dar o que não têm.

Elas emulam o que veem ao seu redor, e o que as pessoas pobres mais veem hoje são outras como elas, que carecem de educação básica financeira e de acesso ao setor bancário e financeiro, com baixa pontuação de crédito, que talvez não tenham um emprego, que provavelmente não têm casa própria. Seus bairros não apresentam muitos exemplos positivos, empreendedores ou donos de empresas. E, acima de tudo, elas não veem muita esperança.

Uma circulada por comunidades populosas de baixa renda nas cidades revela imóveis em localização central (geralmente no raio de oito quilômetros do centro da cidade) arruinados ou parecendo completamente abandonados, apesar de supostamente serem o lar de pobres. Existem lojas para se descontar cheques, ao lado delas casas de empréstimo *payday* ou empréstimo contra o certificado de propriedade de veículo, lojas de arrendamento de produtos, tudo isso ao lado de lojas de bebidas. É o que eu chamo de comunidade com pontuação de crédito de 500. Uma comunidade com pontuação de crédito de 500 — assim como um indivíduo com pontuação de crédito de 500 — tem uma personalidade, comportamento e conjunto de valores determinados. A baixa pontuação de crédito tende a acarretar baixos níveis de esperança e autoestima, baixos níveis de conhecimento dos princípios financeiros básicos e baixos níveis de educação e aspiração. Pessoas nessa posição tornam-se presas fáceis para aqueles que veem a pobreza como algo a ser explorado em vez de um potencial a ser cultivado. A existência de tais comunidades desencadeia basicamente a prosperidade unidirecional, com o dinheiro fluindo quase que exclusivamente para os donos de empresas.

Os pobres e as classes trabalhadoras sempre se esforçaram para pegar a trilha do sonho americano da classe média. Este foi um sólido sonho para gerações de norte-americanos a partir da Segunda Guerra Mundial e funcionou como estabilizador máximo da sociedade. Nada estabiliza melhor ou mais rápido a sociedade do que um bom emprego e uma chance de sucesso. Eu chamo isso de fator esperança, e a esperança decola como bambu quando plantada no ecossistema de uma cidade preparada para o crescimento.

Mas hoje os pobres e as classes trabalhadoras muitas vezes não ocupam um ecossistema de esperança ou um ambiente preparado para o crescimento. Na verdade, ao crescer neste tipo de bairro, aprendi que não importa o quanto as pessoas de uma comunidade possam ser bacanas, a pobreza é uma cultura tal como o sucesso. E a cultura da pobreza espalha-se por quase todos os aspectos da vida.

A Associação Americana de Psicologia informou que o estresse e a pressão no trabalho são as duas causas principais de estresse na América. Os pobres experimentam a maior dose desses dois tipos de estresse e, portanto, são altamente suscetíveis a experimentar estresse relacionado a finanças constantemente, o que na verdade pode impedir a função cognitiva.[6] Este efeito psicológico pode fomentar a perpetuação da pobreza num ciclo debilitante.

Estatisticamente, os pobres também têm baixo acesso aos cuidados de saúde e habitação. Sua dieta, muitas vezes, é de má qualidade — afinal, frutas e legumes frescos são caros (e até mesmo inacessíveis em alguns bairros, conhecidos como "desertos de alimentos"), mas alimentar uma família de quatro pessoas em um restaurante de fast-food é barato, acessível e fácil. E as pessoas pobres, por definição, têm opções pobres de serviço financeiro. Na verdade, os mais pobres pagam mais por seus serviços financeiros. Esse sentimento de carência e de insegurança financeira, juntamente com o analfabetismo financeiro, começa a vazar também para a via das oportunidades.

As desvantagens enfrentadas pelos pobres somam-se sem parar. Basicamente, quando você é pobre, quase tudo é um desafio, e isso se traduz em bem-estar geral pobre. As principais causas de falência são despesas médicas, desemprego e dívida, representando 79% de todas as falências. E, para completar o ciclo da pobreza, essas condições financeiras débeis muitas vezes dificultam a obtenção de emprego, com 47% dos empregadores dos EUA exigindo um relatório de crédito como parte do processo de contratação.[7]

E isso, claro, está sendo transmitido para a próxima geração. Crianças pobres têm oportunidades pobres de sucesso escolar. Escolas em bairros pobres tendem a ser degradadas, com falta de pessoal e carência de suprimentos ou oportunidades de enriquecimento; contudo, o principal motivo para jovens das minorias largarem a escola não é acadêmico, mas dinheiro.[8] Eles deixam a escola cedo para ganhar dinheiro para sustentar suas famílias ou largam os estudos porque não consideram que educação vá dar dinheiro algum dia. Estudantes largam a faculdade — de maneira esmagadora — por causa do custo da educação. Eles ou suas famílias não podem arcar com o custo da taxa de matrícula ou não podem bancar ou acessar o crédito educativo.

Se fracassarmos na abordagem dessas questões, vamos acabar como uma nova nação de segunda categoria, focando todo nosso tempo, energia e recursos sempre decrescentes na sobrevivência interna ao invés de seguirmos na trilha da prosperidade como exemplo para o mundo. Tornaremo-nos a nação que *certa vez* liderou o mundo. Estamos nisso juntos.

Os ricos não são quem pensamos que são

Assim como os pobres não são quem podemos pensar que sejam, os ricos também não são. As vantagens de que desfrutam são tanto financeiras quanto o oposto das características incapacitantes que descrevi na nova definição de pobreza. Em comparação com os pobres, os bem de vida possuem níveis incrivelmente altos de autoestima e autoconfiança. Na verdade, *esta* é a riqueza real deste grupo. Em segundo lugar, possuem exemplos fortes e positivos, começando tipicamente pelos pais, um ambiente comunitário forte e estável e, o mais marcante, acesso a modelos de negócios de importância vital. Por fim, este grupo possui forte e natural acesso às oportunidades em suas vidas — escolas fortes, acesso educacional altamente qualificado e recursos educacionais. Também possuem uma rede natural de relações familiares para os ajudar a transitar pelos círculos de poder e influência.

Pessoas ganhando US$ 100.000 ou mais por ano não necessariamente têm uma vida fácil, mas de fato vivem de um jeito diferente nas coisas mais importantes. Tipicamente, possuem escolaridade elevada e, como resultado, conservam a inestimável rede de relacionamentos da faculdade, que continua a pagar dividendos de oportunidades tanto financeiras quanto não financeiras. Suas famílias desfrutam deste mesmo círculo de benefício informal, que vai de um e-mail informal que facilita um emprego a um telefonema informal que acelera a admissão em uma universidade altamente procurada. Graduados de quinta geração de Yale não acontecem por acaso. É algo intencional e baseia-se tanto em relacionamentos e conforto social quanto em competência.

Hoje, nosso grande problema não é tanto a raça, a barreira da cor ou conflitos sociais, mas sim classe e pobreza. No momento em que estamos começando a enfrentar as dificuldades raciais que desafiam a América, criando instituições, organizações e leis para lidar com essas injustiças, vem aí uma forma inteiramente nova de barreira — classe, riqueza e privilégio. Há cada vez mais dois mundos — o rico, onde as pessoas ganham US$ 100.000 ou mais, e o de todos os outros.

Faz todo sentido que os ricos, educados e privilegiados prefiram não lidar com os problemas que veem todos os dias nas notícias e nas ruas, problemas que parecem não ter quaisquer soluções. Crimes, drogas, prisões transbordando, escolas em ruínas e desespero geral, tudo isso é frustrante para adultos racionais de todas as raças e camadas sociais. Portanto, é compreensível que aqueles que podem bancar os custos desejem se retirar para condomínios fechados e escolas particulares, contratar segurança particular e se esconder em clubes privados.

Infelizmente, se formos por este caminho, a sociedade irá se desgastar e desmoronar, pois a esperança interior das pessoas se esvairá. E, se a esperança se esvair, nenhum condomínio fechado ou força de segurança particular vai manter ninguém seguro. Desligar e dar as costas não funciona. Não podemos dar as costas e nos voltarmos para dentro só porque as pessoas são difíceis e nossos problemas parecem intratáveis.

Os ricos não vão continuar ricos se mantivermos os pobres de fora

A ironia é que a classe privilegiada pelo menos em parte fica totalmente frustrada por um ambiente que ela ajudou a criar ao virar as costas. Quando a sociedade é bem-sucedida, todos desempenham um papel para isso, mas, quando ela falha, também temos que encarar nossa participação nisso. Os ricos precisam de todos os outros, quanto mais não seja para continuarem ricos. Os fabricantes precisam de pessoas para comprar seus produtos, varejistas precisam de clientes para seus artigos, empresas de tecnologia precisam de usuários. E mais ainda: os bem de vida devem lembrar-se de quem trabalha em suas casas e empresas, quem atende às suas necessidades e trata dos detalhes de suas vidas, quem cuida e até mesmo educa seus filhos.

Os pobres estão por toda parte ao nosso redor, e, na verdade, é *por causa* deles e de sua crença de que ainda há esperança suficiente sobrando para eles que a sociedade ainda funciona, que as cidades ainda são civilizadas, que a maioria das pessoas ainda para no sinal vermelho e são cidadãs cumpridoras da lei. É por causa dos trabalhadores pobres, dos carentes e da classe média batalhadora que a América funciona. *Que* a América é a América.

Se os ricos e privilegiados simplesmente decidirem desaparecer por trás de seus muros, as coisas de que dependem para sua opulência se esvairão, serão extirpadas ou destruídas. Este é um problema global, não é exclusivo da América, mas é um risco mais imediato aqui nos Estados Unidos em função de nossa confiança na liberdade, na vida, na autonomia e na promessa de nossa Constituição no coração da experiência norte-americana.

Mas existe uma outra maneira, enraizada em uma nova parceria entre governo, comunidade e setor privado, que enfoca a solução de nossos problemas de forma holística. Essa é uma parceria entre ricos e pobres, focada não apenas na redução de problemas e da pobreza, mas também no aumento dos níveis de aspiração, esperança, comprometimento, bem-estar e, com isso, no aumento da energia econômica e do produto interno bruto.

Oitenta e quatro por cento de todas as receitas fiscais da Califórnia são pagas por 15% dos contribuintes.[9] Para mim, isso não é um problema, é uma nova oportunidade norte-americana. Significa que existem outros 85% que poderiam estar contribuindo mais, fazendo mais, aspirando mais e adicionando mais ao balanço orçamentário da Califórnia. Imigrantes ou seus filhos fundaram mais de 40% das empresas Fortune 500, que coletivamente empregam mais de dez milhões de pessoas e hoje geram receita anual total de mais de US$ 4,2 trilhões.[10]

Além disso, faz algum tempo que o motor do crescimento de emprego nos Estados Unidos são empresas, empresários e *start-ups* (novatos) de pequeno porte, muitas vezes chamados de "*shoot-ups*" (pelo crescimento veloz). Toda grande empresa já foi pequena, e os 38 milhões de habitantes da Califórnia representam um reservatório enorme, na maior parte inexplorado, de energia econômica.

Os pobres e a classe trabalhadora não são um problema a ser tratado, mas os guardiões de uma oportunidade inexplorada que pode ser aproveitada em benefício da América. Eles não são apenas consumidores confiáveis, são também os futuros produtores da recuperação econômica.

Poder econômico é poder político

Governos e espaços públicos não foram de jeito nenhum os primeiros a abolir a segregação racial. Foram as empresas que fizeram isso primeiro no Sul.

O Dr. King foi único e especial por muitas razões além do brilhantismo em pensamento, planejamento e marketing estratégico. Acima de tudo, ele era um otimista. O Dr. King descobriu do que ele era a favor enquanto a maioria dos outros simplesmente sabiam ao que eram contrários. Ele também soube identificar uma tendência e, então, aproveitar e utilizar os pontos fortes inexplorados daqueles ao seu redor, incluindo sua equipe e principais assessores.

Quando Rosa Parks se recusou a ceder seu assento no ônibus para um passageiro branco em Montgomery, Alabama, em 1º de dezembro de 1955, ela não estava tentando ser uma heroína. Mas Rosa Parks catapultou o Dr. King para a liderança do movimento dos direitos civis e, o que foi menos óbvio, tornou possível o primeiro grande momento "eureca" do movimento no período subsequente. Foi um momento de direitos de prata.

Após a prisão de Parks, os negros recusaram-se a andar de ônibus com o argumento de que, se não podiam se sentar onde queriam, preferiam não sentar num ônibus de forma alguma. Por um tempo, até mesmo criaram serviços próprios de transporte e táxi para deslocar a população negra pela cidade.

Infelizmente para a empresa de ônibus, a maioria de seus usuários em Montgomery era negra, e a recusa deles em utilizar o serviço por fim faliu a companhia. De início, os manifestantes não evitaram os ônibus em um esforço para prejudicar a empresa, mas não ficaram cegos para o fato de que, quando, como grupo, evitaram as políticas de negócios imorais e antiéticas da empresa de ônibus, prejudicaram-na muito.

Foi uma lição de economia básica e um lembrete de que a população negra era a maioria simples — e a maioria dos clientes — na maior parte daquelas cidades pequenas. Essas constatações assentaram-se na mente ágil do Dr. King como uma lição de vida, e, nove meses depois, esse "plano moral" se tornou um plano de negócios de verdade para o movimento. Mais tarde, sempre que o Dr. King entrava numa cidade para marchar pela verdade, por justiça e liberdade, ele tinha algumas regras organizacionais somadas às emoções do plano. Por exemplo, ele proibiu a violência por parte de manifestantes, que de preferência incluíam muitas mulheres e crianças bem-vestidas e respeitáveis. Ele também tinha experiência com os meios de comunicação; por isso, todas as marchas eram realizadas antes das 14 horas, o que permitia a cobertura do evento nos noticiários das 18 horas, naqueles tempos antes do ciclo de notícias 24 horas por dia.

Mais importante, no entanto, era que, semanas depois da marcha e de uma retração geral dos consumidores negros no comércio local de uma cidade, o Dr. King discretamente enviava seu principal representante e estrategista, Andrew Young, para se encontrar com a elite empresarial do lugar. A teoria era simples: o congelamento dos gastos dos consumidores prejudicava os negócios, e, se Young conseguisse que uma centena de líderes empresariais locais de qualquer uma daquelas cidades pequenas concordasse com alguma coisa, a liderança política local recalcitrante, por fim, viria junto a reboque.

Young, de fato, nunca foi visto liderando marchas nem foi preso porque o Dr. King não queria nada disso. Young era mais valioso como um calmo negociador em reuniões de empresários a portas fechadas do que como mais um guerreiro dos direitos civis ferido, espancado e sentado em uma cela de prisão.

A estratégia funcionou repetidas vezes, e por isso, a comunidade empresarial, e não o governo local ou instituições públicas como faculdades e universidades locais, foi quem primeiro aboliu a segregação no Sul. Pense no balcão de refeições da Woolworth ou nos protestos contra as placas "Só Brancos" em outros estabelecimentos comerciais e varejistas em todo o Sul. Tudo isso aconteceu primeiro, antes da reforma política. A comunidade empresarial aboliu a segregação no Sul, e os governos relutantes vieram atrás. Direitos civis nas ruas acompanhados por direitos de prata nos gabinetes — foram necessários os dois, atuando em conjunto e dentro de uma estrutura ética, para o plano funcionar.

Alfabetização financeira, uma categoria de empoderamento no novo mundo em que vivemos, é a nova versão dos direitos civis de uma geração. E uma nova geração empoderada com a confiança proveniente de saber mais para fazer melhor mudaria radicalmente nossa economia nacional. Também influenciaria enormemente na determinação de quais setores ganhariam e quais perderiam. Imagine uma geração de indivíduos educados, confiantes, empoderados com alfabetização financeira e uma pontuação de crédito ampliada, e então reflita sobre como se sairiam as mais de treze mil instituições financeiras não bancárias, muitas vezes predatórias, neste novo mundo onde o consumidor é rei.

A nova realeza norte-americana: os consumidores

Quando Henry Ford lançou seu primeiro automóvel, foi esperto o bastante para pagar a seus trabalhadores o suficiente para comprarem os veículos que estavam fabricando. A abordagem de Ford quanto à produção da fábrica era toda em termos de volume, e ele percebeu que não fazia sentido fabricar um monte de carros se não tivesse um monte de clientes. O insight de Ford contribuiu para o nascimento da classe média norte-americana — e proporcionou o pontapé inicial para a cidade de Detroit.

Desde então e até hoje, de Detroit ao Vale do Silício, são as massas da América, não apenas as classes dominantes da América, que dirigem este rolo compressor econômico. De fato, com a notável exceção da riqueza adquirida por meio de atividades criminosas, guerras, licitações do governo e afins, quase toda acumulação real de riqueza neste país passou pelos trabalhadores pobres, pelas classes batalhadoras e por uma ampla classe média.

Algumas décadas depois da Ford, outra montadora de automóveis aprendeu o que Ford já havia mostrado. A divisão de Cadillacs da General Motors estava a perigo na década de 1930. Em 1928, a empresa havia fabricado 41.172 Cadillacs; em 1933 a Cadillac vendeu apenas 6.736 carros, um declínio de 84%. Estava perdendo tanto dinheiro que o conselho de administração debatia se deveria encerrar a divisão.[11]

Por sorte a GM tinha Nicholas Dreystadt. Ao viajar por todo o país buscando explicações nas concessionárias da Cadillac, Dreystadt notou que um número significativo de proprietários de Cadillacs eram negros, muito embora a Cadillac, em busca de mercado de prestígio, se recusasse a vender para negros. Esses proprietários estavam adquirindo os carros por meio de compradores de fachada brancos.

Dreystadt incentivou o conselho de administração a abandonar as políticas discriminatórias e começar a vender Cadillacs diretamente aos clientes negros. O conselho aceitou sua argumentação, e, em 1934, as vendas da Cadillac aumentaram 70%. A divisão equilibrou suas contas. E, em 1937, ainda sob efeito da depressão, foram vendidos mais Cadillacs do que no estrondoso 1928. Isto mudou a indústria, mas também mudou o consumidor. O consumidor negro adquiriu respeito como um legítimo multiplicador da força econômica, que de fato poderia levantar a economia, ou mesmo transformar radicalmente e salvar uma empresa e inúmeros postos de trabalho. A influência dos pobres e da classe trabalhadora não é menos poderosa hoje. A Walmart, fundada por um homem que dirigiu uma caminhonete até o dia de sua morte, foi criada para fornecer produtos acessíveis e de qualidade para a classe operária e os trabalhadores pobres. Embora a empresa tenha um histórico controverso quanto ao tratamento e remuneração de seus trabalhadores, é a maior varejista do mundo hoje e uma das maiores empregadoras de minorias, mulheres e pessoas de cor.

Mas o ponto realmente instrutivo aqui é que a maior varejista do mundo não é a Nordstrom, Macy's, Neiman Marcus ou Barneys. De longe é a Walmart. A loja que atende a classe operária, não as lojas que atendem a classe rica, ou principalmente a classe média, domina o cenário varejista. Outros pesos-pesados do varejo, como Target e Costco, também atendem clientes da classe operária e da classe média.

No setor realmente era um privilégio para os ricos e os bem de vida. Hoje, é claro, temos restaurantes dentro de postos de gasolina e supermercados. Os restaurantes decolaram e se tornaram um modelo de negócio sustentável quando se tornaram sob muitos aspectos um produto para as classes operária e média em expansão. Além dos bilhões de dólares de receitas anuais gerados pelos restaurantes, claro, o setor também proporciona empregos e oportunidade econômica para pequenos empresários e empregados da classe operária.

Mesmo artigos como telefones devem seu enorme sucesso ao imenso número de pessoas que querem possuí-los. O telefone originalmente era acessível apenas aos ricos e bem-sucedidos, mas Ma Bell e a rede nacional de companhias de telecomunicações de capital aberto não cresceram e prosperaram antes do telefone fixo ser disponibilizado para as massas e amplamente adotado pela classe trabalhadora norte-americana. Aí, o setor explodiu, os investidores originais e os inovadores do negócio ficaram ricos, e os pobres e carentes obtiveram algo de real valor.

Hoje, claro, o telefone é onipresente, particularmente em sua nova versão como celular e *smartphone*, e possuir um telefone já não é o sonho das pessoas apenas no mundo desenvolvido. Jovens e adultos no mundo em desenvolvimento estão adotando o uso do celular em um ritmo tão acelerado que atualmente há quase mais telefones móveis no mundo do que pessoas — mais de seis bilhões de unidades.[12] Quando o celular foi lançado, tratava-se de um verdadeiro privilégio, custando mais de US$ 3.000. Hoje, o celular é tão comum que a África provavelmente começará a eliminação progressiva dos telefones fixos e se tornará o primeiro continente a se concentrar unicamente na telefonia sem fio em um futuro próximo. Pessoas que não têm água encanada, um teto sobre suas cabeças ou vias pavimentadas na frente de suas casas têm um telefone celular.

O setor de telefonia móvel tornou-se um dos mais rentáveis nos últimos cem anos, deixando inúmeros empresários e acionistas imensamente ricos, ao mesmo tempo aumentando a conectividade e o empoderamento de comunidades e indivíduos do mundo inteiro. E seu sucesso tem sido impulsionado pelos trabalhadores pobres, pelos carentes e pelas classes batalhadoras tanto nos Estados Unidos quanto ao redor do mundo.

Até o humilde banheiro interno, considerado corriqueiro hoje em dia, originalmente era algo de que só os ricos e privilegiados desfrutavam. Somente no início do século XX, o banheiro ingressou na sociedade norte-americana em geral, em parte por causa da educação do povo sobre seus benefícios, mas particularmente porque seu custo caiu radicalmente. Poucas coisas mudaram mais a vida dos trabalhadores pobres, da classe operária e da classe média na América do que o banheiro interno. Isso não foi apenas um benefício para a sociedade, mas também criou um novo mercado.

Um ativo inexplorado e não aproveitado

E é assim que acontece muitas e muitas vezes. Mais recentemente, vimos o Vale do Silício transformar a América com seus empreendedores da classe operária, da classe média e imigrantes criando empresas e tecnologias dirigidas às massas. E, embora estejamos falando de bilhões de downloads e microtransações, não falamos de poucos dólares. Essa incrível expansão do mercado de oportunidades criou riqueza a partir de uma ideia quando acionistas e empresários de inúmeras companhias aumentaram a capitalização do mercado e o valor acionário de um setor que não existia anteriormente. Porém, sem educação básica financeira, sem um ambiente propício que inclua acesso ao serviço bancário, crédito e exemplos de bons negócios, e sem a oportunidade de agir com base nesses sonhos empreendedores, tais ideias permanecem apenas sonhos.

Existe uma diferença entre estar quebrado e ser pobre. Estar quebrado é uma condição econômica temporária, mas ser pobre é um estado mental incapacitante e uma condição de espírito deprimida. Isso deixa uma cultura inteira propensa a ver o copo semivazio em vez de cheio até a metade, a ver a si mesma como vítima em vez de vencedora, como consumidora de ideias em vez de produtora ou fabricante. Se as pessoas não sabem mais, elas não podem fazer melhor. A ignorância, de fato, é pior do que conhecimento algum, porque a ignorância desencaminha indivíduos bem-intencionados para direções estranhas, muitas vezes improdutivas. E tudo por nada. É como alguém uma vez disse: “Se você andar com nove pessoas pobres, é provável que você seja a décima".

Qualquer que seja a cor de uma pessoa, todas querem ver um pouco mais de verde (da moeda norte-americana), e isso representa uma oportunidade. O que aconteceria se alterássemos a pontuação de crédito nos bairros pobres de uma média de 500 para uma média de 650 ou mais? Tudo mudaria. Os estabelecimentos de desconto de cheque e empréstimos se transformariam em bancos e cooperativas de crédito, lojas de bebida seriam convertidas em lojas de conveniência e mercearias. Quanto mais uma comunidade experimenta o empoderamento do consumidor como um novo e profundo traço de caráter, menos defesa do consumidor a comunidade ou qualquer um de seus membros precisa.

Acredito que os pobres são um ativo inexplorado e não aproveitado para a futura prosperidade da nossa nação e que as cidades do interior dos Estados Unidos são o último bastião do capitalismo perdido. Acredito que todos nós perdemos ao usar como padrão uma abordagem de liderança baseada no medo que simplesmente tranca e joga fora as chaves para os ativos originais norte-americanos — nossa juventude — e nossa única esperança de prosperidade futura, sem primeiro explorar se existem possíveis arco-íris depois dessas tempestades. Devemos restaurar a esperança e fazer as pessoas se mexerem novamente, melhorando seu conhecimento básico sobre finanças e sua pontuação de crédito, aumentando seu acesso aos serviços bancários e de investimento, aumentando sua autoestima e acesso a negócios positivos e a exemplos pessoais.

Parte II

INVESTINDO EM ESPERANÇA

CAPÍTULO TRÊS

Decifrando o código das finanças

Enquanto eu crescia em South Central Los Angeles e Compton, não fazia a menor ideia do que era livre iniciativa ou capitalismo. Como funcionavam? Como seus ganhadores e perdedores eram escolhidos e quem fazia a escolha? Mais importante: como eu poderia participar? Esquece. Não havia manual para os pobres. Nunca recebemos o memorando.

Tudo que eu sabia era que algumas pessoas, em um mundo muito, muito distante, eram ricas e bem de vida e faziam o que queriam, vestindo ternos e entrando e saindo de arranha-céus. Enquanto isso, outras pessoas — gente que eu conhecia no meu bairro, gente como eu — esforçavam-se para entender como aquelas conseguiam tais coisas.

Não havia nenhum prédio com mais de três andares no meu bairro inteiro, e o único traje a rigor que essas famílias possuíam era a roupa de ir à missa no domingo ou reservada para velórios. A maioria dos que possuíam ou gerenciavam um negócio ou uma loja de uma grande rede como a Thrifty (agora substituída pela CVS, Walgreens e assemelhadas na maioria das comunidades) na verdade não *vivia* no nosso bairro. Ganhavam o dinheiro delas e iam embora ao cair da tarde.

E, justamente porque as pessoas no meu bairro não entendiam esta coisa chamada capitalismo, nós o temíamos. Presumíamos que devia ser algo maligno e errado, ou então por que seríamos excluídos? Ninguém na minha vizinhança conseguia explicar ou se identificar com o poder que provinha dele. Para nós, era um golpe triplo em muitos aspectos.

Primeiro, não entendíamos o sistema ou como funcionava. Em segundo lugar, aqueles que entendiam o sistema só tiravam dinheiro da comunidade.

O dinheiro mal circulava uma vez pelo nosso bairro, com a nossa ajuda, e então, ia embora imediatamente. Por fim, relacionado a isso, muitos empresários empregavam amigos ou membros de suas famílias ao invés dos jovens do bairro. Assim, esses negócios pouco faziam para criar empregos locais e, muitas vezes, na verdade, ajudavam a alimentar uma raiva latente na comunidade.

Não ajudava em nada o pastor local frequentemente sugerir que era difícil ser rico e permanecer perto de Deus e, pior ainda, que ser pobre era quase uma virtude. Que Deus *ama* os pobres. E, embora seja verdade que é difícil (ainda que não impossível) ser rico e permanecer perto de Deus; e, embora Deus ame os pobres, Ele não os ama *porque* são pobres! Ele ama, cuida e se interessa por este grupo especificamente porque ninguém mais parece fazer isso, porque o mundo vira as costas para os pobres continuamente e, se Ele não ligar para eles, quem ligará?

Infelizmente, meu pastor passou ao largo de Provérbios 10:4: "O que trabalha com mão displicente empobrece, mas a mão dos diligentes enriquece". Ser pobre *não é* não ter nada. Ser pobre é *não fazer nada*, e mãos preguiçosas fazem um homem pobre. Deus aqui está moldando o comportamento do verdadeiro sucesso, argumentando em favor da dedicação. Em essência, está dizendo: "Por que dar um peixe a um homem? Quando puder, *ensine-o* a pescar". Durante uma viagem do Dr. King, Andrew Young e Coretta Scott King a Israel, um repórter comentou que o Dr. King lhe lembrava o bom samaritano na estrada de Jericó. O Dr. King não respondeu nada ao repórter, e Young quis saber por quê. A resposta do Dr. King foi simples e direta.

"Andy", ele disse, "estou cansado de ver meu povo sentado numa vala ao lado da estrada, como vítima. A estrada de Jericó é um caminho perigoso... Devemos trabalhar para consertar a estrada de Jericó, pavimentar a estrada de Jericó, colocar postes de luz ao longo da estrada de Jericó".

Precisamos de uma nova geração de jovens educados e capacitados, uma nova geração com casa própria e dona de pequenos negócios, empoderada e financeiramente alfabetizada ao longo da estrada de Jericó. Tudo isso aponta para a dedicação, para o valor e a dignidade inerentes de nosso trabalho, para criar valor por meio desse trabalho e fazer por si mesmo quando possível. Contudo, primeiro temos de banir a ignorância e substituí-la por conhecimento. Eu chamo esse conhecimento de alfabetização financeira, e dele surge a esperança.

O bairro onde fui criado abrigava algumas das pessoas mais bacanas, mais generosas, mais decentes do mundo, mas, em se tratando de desbloquear os milagres da livre iniciativa, do capitalismo, do empreendedorismo, da criação de emprego ou riqueza na e para a comunidade, eram cegos guiando cegos. Aquilo que não sabíamos que não sabíamos estava nos matando, embora pensássemos que soubéssemos. Eu apenas topava continuamente com a mesma realidade: os forasteiros que atuavam na minha comunidade sabiam algo diferente do pessoal que de fato considerava a comunidade seu lar.

A linguagem global do dinheiro

Alfabetização financeira é nada menos que a nova linguagem global do dinheiro, e no mundo de hoje todos nós precisamos ser bilíngues. Entretanto, como nação estamos fracassando em ensinar nossos pobres a pescar. Estamos fracassando em lhes proporcionar alfabetização financeira. A maioria dos pobres no mundo de hoje não tem ideia do que as pessoas bem-sucedidas falam. Pedir a um pobre para ler *The Wall Street Journal* é como pedir que leia e fale russo avançado. Infelizmente, aproveitar a energia econômica dos pobres e carentes não faz parte da fórmula de sucesso dos Estados Unidos no século XXI, e esta é uma razão para que muitos cidadãos desta grande nação se encontrem pobres e carentes. Mas nem sempre foi assim.

O presidente Lincoln, um dos visionários originais da nação, teve a visão de ganhar a Guerra Civil, mas também de libertar os escravizados e garantir sua prosperidade econômica futura. Não muito tempo depois de assinar a proclamação de emancipação, Lincoln assinou a legislação criando o Freedman's Saving and Trust Company, vulgarmente conhecido como Freedman's Savings Bank. O presidente considerava a missão do banco tão importante para a nação que seus escritórios acabaram localizados bem em frente ao Departamento do Tesouro dos Estados Unidos, perpendiculares à Casa Branca, de onde o presidente podia ficar de olho.

A missão do banco era radical — ensinar sobre dinheiro aos negros norte-americanos recém-libertados. Foi a educação financeira sancionada pelo governo do século XIX em ação. Além de ajudar os negros a construir economias e adquirir conhecimento sobre os princípios básicos das finanças, o banco também auxiliou organizações comunitárias a prosperar e se expandir. Infelizmente, a especulação bancária frustrou as esperanças e os sonhos de mais de setenta mil depositantes negros pobres, principalmente arrendatários em uma era agrária, e, no final do século XIX, nem mesmo o grande Frederick Douglass, último presidente do banco, conseguiu salvar a instituição.

Cento e trinta anos mais tarde, temos um grupo de pessoas — mais de 30 milhões de afro-americanos — que nunca tiveram uma lição sobre a linguagem global do dinheiro, ou de como o sistema de livre iniciativa e o capitalismo funcionam. Elas não receberam educação financeira. A classe média negra só surgiu quase um século depois, após a Segunda Guerra Mundial, quando trabalhadores negros finalmente conseguiram novo acesso a empregos públicos e carreiras em diversos campos. Essas pessoas não são estúpidas; simplesmente são limitadas no conhecimento dos princípios básicos das finanças. Hoje, o patrimônio líquido dos negros de classe média é uma fração do patrimônio líquido de suas contrapartes brancas,[1] que simplesmente tiveram melhores exemplos financeiros e econômicos por muito mais tempo. Experimentaram lições em alfabetização financeira, livre iniciativa e capitalismo. E, quando sabe mais, você tende a fazer melhor.

Mas isso não é exclusivamente ou sequer principalmente um problema de negros e pardos. Há mais pobres brancos na América hoje do que de quaisquer outras raças. O Dr. King, inspirado pela jovem Marian Wright Edelman (fundadora do Fundo de Defesa das Crianças), lançou seu movimento final em 1968 — a Campanha dos Pobres, abrangendo todas as raças, culturas e credos, pois ele sabia que estamos nisto juntos. Hoje, zonas inteiras de cidades e comunidades são habitadas por pobres que não fazem qualquer contribuição econômica perceptível para a nação. Infelizmente, na verdade, eles nos custam dinheiro. Pior ainda, no entanto, é que eles não têm sequer ideia de que estão labutando num mar de ignorância econômica. Em suma, não é o que eles não sabem que os está matando; é o que eles pensam que sabem.

Arco-íris após tempestades

Você não pode ter um arco-íris sem primeiro passar por uma tempestade, e os chamados bairros e comunidades pobres da América resistiram a muitas tempestades. Já foram um dia economias dinâmicas, bem-sucedidas, e, caso se contabilize a movimentação informal de dinheiro de hoje, esses bairros ainda geram uma tremenda atividade econômica fora dos registros. De acordo com o *Social Compact*, as comunidades centrais de baixa renda são maiores, mais seguras e possuem poder de compra muito acima do indicado por fontes usuais de informação do mercado. Os mais menosprezados destes chamados bairros pobres também dispõem de infraestrutura básica e desfrutam do estado de direito na economia de mercado mais progressista do mundo. Mais importante ainda, essas comunidades têm uma enorme necessidade não atendida de serviços bancários convencionais, acesso a crédito, acesso a investimento imobiliário e aquisição de casa própria e geração de renda por meio de pequenas empresas, tais como postos de gasolina, lojas de conveniência, mercearias e casas de entretenimento. Todavia, antes que possam criar essas coisas de que toda comunidade necessita, antes que possam encontrar a saída da tempestade para ver o arco-íris, as pessoas que vivem ali devem adquirir alfabetização financeira.

Quando eu tinha nove ou dez anos, tive a sorte de ser matriculado no que pareceu ser a última aula de alfabetização financeira amplamente oferecida em escolas públicas: economia doméstica. Eu simplesmente adorava aquela aula, mal podia esperar para ir, porque era prática e ligava o que eu aprendia na escola com a forma como, em breve, eu precisaria viver.

Um dia um banqueiro veio à nossa sala de aula dar uma lição de alfabetização financeira. O banqueiro era branco, mas poderia muito bem ser cor de laranja. Ele não era de uma raça diferente; ele era de outro planeta — do lugar onde morava a gente rica que tantas vezes eu via na televisão. Ele usava terno azul, camisa branca e gravata vermelha e falava uma língua diferente de todos nós, a linguagem do dinheiro.

Decidi que iria me tornar fluente naquela língua. Ali, pela metade da aula, perguntei, completamente sério: "Como o senhor ficou rico legalmente?". Perguntei o que ele fazia, quem ele financiava, onde ele morava e que carro ele dirigia. Eu simplesmente não conseguia processar nada daquilo. Mas lembro que uma coisa me intrigou muito: ele disse que financiava empresários. O que quer que fosse *isso*, decidi que eu queria ser um!

Naquele tempo, eu nem sabia o que a expressão "alfabetização financeira" significava, mas sei que mudou a minha vida. Nas respostas do banqueiro às minhas perguntas, obtive um vislumbre do memorando que minha comunidade ainda não havia recebido. Fiquei apaixonado por empreendedorismo em virtude daquela experiência. Hoje uso terno e gravata e ensino os princípios básicos de finanças para jovens em virtude daquela experiência.— somado ao fato de ver meu pai vestir ternos duas ou três vezes por semana. Se aquela única visita do banqueiro à minha sala de aula teve efeito tão profundo em minha vida, imagine as mudanças que poderiam acontecer se dotássemos todo mundo com o poder transformador da alfabetização financeira e a riqueza interna da dignidade humana.

Definindo alfabetização financeira em uma nova era econômica

Os pobres devem se tornar bilíngues, devem aprender a linguagem do dinheiro. A alfabetização financeira evoluiu ao longo do tempo e felizmente continua a evoluir. Ao avançar, é útil ter em mente uma citação perspicaz do fundador do LinkedIn: "Se você não sente um pouquinho de vergonha da versão 1.0 do seu software, então você demorou demais para lançá-lo".[2] É melhor fazer algo bom hoje do que esperar pelo que quer que você veja ou julgue como sendo perfeito algum tempo depois. Ação é primordial nos dias e tempos atuais.

Educação financeira é a base, inicialmente oferecida aos norte-americanos carentes pelo presidente Lincoln com a criação do Freedman's Savings Bank e aos norte-americanos médios por meio de organizações como a *Junior Achievement*, cerca de cem anos atrás. A *Junior Achievement* foi criada para ajudar os jovens da América rural a se preparar para gerir e operar as fazendas familiares. Para estes jovens, as questões não se baseavam na emoção ou autoestima, mas nas coisas essenciais, e esse programa comunitário padrão estava ligado à proteção da riqueza familiar privada e à criação de riqueza.

Hoje, no entanto, questões de dinheiro e economia estão misturadas e inter-relacionadas com emoções, autoestima, identidade, até mesmo questões do cerne da dignidade humana, particularmente na América carente e nos bairros centrais de baixa renda. Por isso, fundei a

Operação HOPE há mais de vinte anos, para atender a essa necessidade focada nos cem milhões de norte-americanos que ganham US$ 50.000 ou menos e que se definem como trabalhadores pobres ou carentes. Hoje, isso também inclui a classe média trabalhadora. Essas pessoas, famílias, pequenas empresas e comunidades precisam falar a língua da alfabetização financeira para ajudar a transformar a situação ao seu redor.

Essa linguagem inclui vários elementos, todos eles importantes. Estivemos a discutir a **alfabetização financeira**, que representa os instrumentos básicos e essenciais do kit de ferramentas da educação financeira. **Capacidade financeira** representa o potencial e a consciência absoluta do que é possível, das opções e oportunidades após se adquirir educação financeira e letramento financeiro. **Inclusão financeira** representa a visão e o compromisso da América de incluir todo mundo em sua promessa e oportunidade futuras. **Empoderamento financeiro** é o que se faz com a capacidade financeira recém-descoberta. E **dignidade financeira** é a meta de todos os esforços de empoderamento financeiro, assim como o movimento dos direitos civis foi realmente uma campanha por respeito e dignidade.

Após a recente crise econômica global, uma geração inteira de jovens está à beira de algumas das decisões mais importantes de suas vidas, e é nossa responsabilidade dar a eles as ferramentas de que precisam para se tornarem os novos ativos individuais e comunitários de energia econômica de que a América necessita para redescobrir sua grandeza e criar uma nova geração de empregos sustentáveis para todos.

Alfabetização financeira é uma solução de baixo para cima

Entretanto, alfabetização financeira não se refere apenas ao indivíduo. Como Lincoln percebeu, produzir cidadãos que sejam versados nos princípios básicos das finanças também é uma boa política pública. Os governos estão cada vez mais quebrados e não devem ser os principais criadores de empregos. O primeiro pacote de estímulo de US$ 700 bilhões atrelado à crise econômica global que afeta os Estados Unidos tratou substancialmente de preencher buracos nos orçamentos municipais e estaduais. Foi uma resposta adequada ao imediatismo da crise, mas não é uma resposta de longo prazo. Os estados precisam da mesma coisa que as pessoas pobres: mais empregos (novos) e mais receitas, e isto começa com maior alfabetização financeira.

Por exemplo, um incrementador substancial da renda municipal e estadual são as receitas do imposto sobre propriedade, e o evento que desencadeou a crise econômica global mais ampla (agora uma crise de confiança) foi a crise das hipotecas *subprime* predatórias. Como aprendemos subsequentemente, uma boa parte da culpa por esta crise recai sobre os ombros de credores *subprime* predatórios, negociando com ganância, fraude e afins. No entanto, um importante parceiro da crise abrange os mutuários instruídos que, ao obter um empréstimo, perguntavam: “Qual é o pagamento?”, e não: “Qual é a taxa de juros?”. E, como qualquer escolarizado nos princípios básicos das finanças sabe, nunca se deve focar unicamente no pagamento — o importante é a taxa de juros. Infelizmente, uma espécie de credor *subprime* predatório pegou meu pai há vinte anos atrás, mas a mim nunca pegaram porque tratei de ser financeiramente letrado, de falar a língua do dinheiro em uma era essencialmente econômica.

Devemos dar as mesmas ferramentas para todos. Temos que fazer da alfabetização financeira o novo tema dos direitos civis da América do século XXI — ensinando a nossos filhos a linguagem do dinheiro. Como Andrew Young me disse: "Eu e o Dr. King integramos o balcão de almoço, mas nunca integramos o dólar. E viver em um sistema de livre iniciativa, mas não compreender as regras da livre iniciativa, é a definição de escravidão". Não entender a linguagem do dinheiro hoje em dia é ser um escravo econômico.

Nossas comunidades pobres precisam não apenas de campanhas contra a injustiça social, mas de campanhas para promover a justiça econômica e oportunidades reais. Considere, por exemplo, o benefício de educar as pessoas sobre o *Earned Income Tax Credit* (dedução de imposto sobre rendimentos). Aproximadamente um em cada quatro norte-americanos qualificados para esta merecida compensação em dinheiro destinada aos trabalhadores, estipulada no código tributário federal, nem sequer a solicita. Estamos falando de aproximadamente US$ 9 bilhões a US$ 10 bilhões anuais não reivindicados por pessoas que poderiam usá-los para pagar a hipoteca, quitar um carro, financiar a educação ou talvez reduzir a pressão financeira familiar. Dez bilhões de dólares injetados em bairros pobres e carentes em toda a América — US$ 30 bilhões a US$ 50 bilhões ao longo de um período de três a cinco anos — é uma promessa de transformação real não só para os chamados pobres, mas também para a própria América. Contudo, as pessoas devem ser informadas sobre seu direito de acesso a esse dinheiro a fim de se beneficiar dele.

Uma oportunidade perdida

Durante o período final da Guerra Civil, um dos principais generais de Lincoln prometeu a todos os escravos libertos quarenta acres e uma mula, uma oportunidade de possuírem garantias e máquinas em seus próprios nomes. Não foi ideia de Lincoln ou sua política oficial, embora ele apoiasse a iniciativa. Como já vimos, no entanto, Lincoln assinou a Lei do Freedman's Bureau de 1865, que, entre outras coisas, criou o Freedman's Savings Bank.

Infelizmente, Lincoln foi morto menos de trinta dias após a assinar a nova lei, e o presidente Andrew Johnson, que ocupou a vaga deixada por Lincoln, tinha visão diametralmente oposta em coisas como o Freedman's Savings Bank. Johnson era o que hoje chamaríamos de segregacionista sulista ferrenho, e foi citado dizendo: "Enquanto eu for presidente, esta nação será comandada por brancos".[3] Fim da linha para todas as ideias de empoderamento negro de Lincoln.

Como não podia matar facilmente o banco, Johnson decidiu simplesmente ignorá-lo e privá-lo de verba, e, em suma, disse aos legisladores sulistas para ignorar a lei federal — um precedente que, por fim, transformou-se nas leis *Jim Crow* nos estados do Sul. Mas ideias boas e do bem são difíceis de matar, mesmo quando se tenta, e foi preciso muita coisa para matar o plano de Lincoln.

No seu auge, o Freedman's Savings Bank tinha setenta mil depositantes, todos anteriormente escravizados. Ao depositar todo o pouco que tinham nesse novo banco federal, aquelas pessoas fizeram a mais poderosa declaração aspiracional possível.

Elas queriam suas próprias vidas de volta e esperavam contribuir para a experiência norte-americana, não importando como eram tratadas. Quando tiveram a oportunidade de fazer uma escolha de forma esclarecida, não quiseram esmola, quiseram apenas uma mão.

Infelizmente, devido em grande parte aos esforços destrutivos de Johnson e à má gestão e apostas subsequentes do banco, a instituição acabou falindo, e todos os depositantes perderam seu dinheiro. Todo ele. Esse pode ser um dos motivos pelos quais os negros norte-americanos e outros grupos desfavorecidos de hoje não confiam nos bancos e no governo.

Mas o que teria acontecido se Lincoln tivesse sobrevivido a seu segundo mandato? Como seria a América hoje se ex-escravos, que essencialmente construíram a América de graça durante a era agrícola, houvessem recebido e sido empoderados com a versão de 1865 de garantia e maquinário, alfabetização financeira, compreensão da linguagem do dinheiro e do funcionamento do sistema de livre iniciativa e do capitalismo, acesso ao capital e, com isso, melhores oportunidades e empregos? Simplesmente não teríamos o que alguns querem chamar de subclasse permanente hoje em dia. A América seria melhor, mais forte e mais próspera.

Está na hora de finalizar o que Lincoln começou e o que Dr. King não teve oportunidade de abordar de forma significativa. Mas, desta vez, nós podemos e iremos usar o poder do setor privado e o próprio sistema de livre iniciativa, fortemente apoiado pelo governo, para transformar a vida das pessoas. Devemos habilitar as pessoas a contribuir para o sonho americano, a ajudar a América a vencer de novo, com todo seu povo dando duro e pegando junto.

CAPÍTULO QUATRO

Serviços bancários e financeiros

O grande objetivo de empoderar pessoas por meio da alfabetização financeira é ensinar como funciona o sistema bancário e como acessá-lo. O setor bancário hoje em dia é amplamente dominado por uns poucos jogadores de grande porte, a maioria focada em clientes com recursos já na mão. É uma estratégia compreensível, mas limitada pelos mesmos parâmetros que a tornam atraente: sua natureza preestabelecida e conhecida. Hoje em dia, existem bancos quase em cada esquina dos bairros tradicionais de classe alta e classe média alta, essencialmente negociando lá e cá com clientes conhecidos.

O que estou propondo é a aquisição de novos clientes. Alguns grandes bancos estão envolvidos em esforços legítimos de alfabetização financeira, uns poucos de forma muito significativa, mas muito mais precisa ser feito. Esta atividade não pode ser vista apenas como parte das relações públicas ou mesmo um assunto público e de governo. Deve ser vista como é: a força vital de qualquer empresa ou setor com a palavra *financeira* em seu nome. Isso não é nada menos do que autointeresse esclarecido.

Do jeito que está hoje, os grandes bancos não estão realmente muito interessados na abertura de contas para pobres, mas isso vai mudar assim que pararem de ver um mercado emergente como um mercado pobre. Curiosamente, a ironia de tudo isto é que a atividade bancária, na verdade, se originou no povo, e muitos dos maiores bancos de hoje começaram atendendo os trabalhadores pobres, a classe trabalhadora e a classe média batalhadora.

Amadeo Giannini, filho de imigrantes italianos, começou o Bank of Italy no que antes era um bar de San Francisco em 17 de outubro de 1904, com 28 depósitos totalizando US$ 8.780.[1] O banco foi criado para servir aos cidadãos da classe trabalhadora, especialmente ítalo-americanos que viviam no bairro de North Beach de San Francisco. Os comentários sobre o serviço de Giannini espalharam-se rapidamente, e em 1916 o banco vangloriava-se de várias filiais em outros bairros. Em 1928, Giannini mudou o nome para Bank of America e manteve-se na presidência até morrer, ampliando seu pequeno empreendimento até o que foi certa época o maior banco comercial do país.

Assim como o Freedman's Savings Bank de Lincoln, com seu foco em melhorar a equidade e a alfabetização financeira de uma população carente, Giannini "opôs-se à noção aristocrática do serviço bancário, com sua formalidade, suas políticas conservadoras e altas taxas de juros [e] estabeleceu o Bank of Italy sobre uma base democrática. Lá o pequenino era acolhido e respeitado, recebendo o mesmo serviço que os grandes e auxílio financeiro em condições facilitadas".[2]

Egoísmo do bem e egoísmo do mal

O banco de Giannini serviu aos pequeninos da comunidade e, como resultado, foi um tremendo sucesso. Sobreviveu tanto ao terremoto quanto ao incêndio de San

Francisco em 1906 — tornando-se, aliás, um dos primeiros bancos a oferecer empréstimos empresariais para ajudar a reconstruir a cidade —, assim como ao *crash* do mercado acionário em 1929.

E Giannini fez tudo isso ao mesmo tempo que proporcionava à sua comunidade um serviço muito necessário. Mas ele provavelmente era motivado por mais do que altruísmo: ele sem dúvida queria ganhar dinheiro, e isso é ótimo. Ele estava praticando o que eu chamo de "egoísmo do bem", no qual uma pessoa se beneficia, mas todos os outros beneficiam-se. Criar um filho, dirigir um negócio socialmente responsável ou trabalhar para uma organização sem fins lucrativos são exemplos de egoísmo do bem.

Egoísmo do mal, por outro lado, é quando uma pessoa se beneficia, mas todas as outras pagam um preço por isso. Tráfico de drogas é um exemplo de egoísmo do mal. Egoísmo do bem é sobre *nós*, enquanto egoísmo do mal é sempre sobre *mim* — o que eu ganho e quando ganho? O egoísmo do mal levou-nos à bolha imobiliária e à crise das hipotecas.

O egoísmo do mal levou as empresas a usar instrumentos financeiros complexos como operações com derivativos para apostar com o dinheiro de outras pessoas. Mas a visão do setor de serviços financeiros não precisa ser essa. Em vez disso, este é um momento de oportunidade. Os arco-íris sempre vêm depois das tempestades.

O setor de serviços financeiros alternativos

Com demasiada frequência, o setor de serviços financeiros alternativos entrou em cena para suprir a necessidade de serviços financeiros comunitários não mais disponíveis nos grandes bancos sob a forma de agências de empréstimo *payday*, serviço de desconto de cheques e afins. Para as comunidades pobres, onde a alfabetização financeira é baixa e a necessidade financeira é alta, estas organizações podem ser parecidas com os bancos tradicionais — afinal, realizam muitas das mesmas funções de um banco. Porém, muitas dessas empresas na verdade operam com objetivos totalmente diferentes, com frequência tirando proveito do parco letramento financeiro e dos escassos recursos de seus "clientes".

Conforme estimativas conservadoras, o setor de serviços financeiros alternativos dos Estados Unidos equivale a bem mais de US$ 321 bilhões anualmente. Além dos US$ 58 bilhões do negócio de desconto de cheques, existem empresas de financiamento de veículos "compre aqui pague aqui" (US$ 80 bilhões), empréstimos *payday* (US$ 48 bilhões), remessas (US$ 46 bilhões), cartões de crédito pré-pagos (US$ 39 bilhões), empréstimos de antecipação de restituição (US$ 26 bilhões), ordens de pagamento (US$ 17 bilhões) e transações de arrendamento de bens (US$ 7 bilhões).[3]

Infelizmente, demasiados provedores de serviços financeiros alternativos de hoje caem essencialmente no mesmo campo do egoísmo do mal praticado durante a era *Jim Crow* no Sul. Porém, quando um setor tem um faturamento anual de US$ 321 bilhões, é bom acreditar que os beneficiados irão proteger seus interesses a todo custo; portanto, a abordagem deste grupo mais moderno é um pouquinho mais sofisticada — ou assim eles gostariam de pensar.

Eles não podem agir de forma abertamente racista ou com qualquer forma de discriminação intencional gritante. Podem despachar agentes subalternos de ligação com a comunidade para acalmar os nervos de todos aqueles que, do contrário, poderiam protestar um tanto alto demais e se anexam às entradas de bases militares e vilarejos rurais deprimidos, com indústrias em desintegração e perspectivas de emprego em queda, tão rapidamente quanto se anexam a bairros populosos e urbanos, pobres e cheios de minorias. A vítima pode ser branca ou negra, contanto que o pagamento seja em verdinhas.

Até mesmo a localização desses negócios diz tudo. Não é por acaso que normalmente estão aglomerados, muitas vezes na mesma rua ou a uma quadra de distância um do outro — e, normalmente, nas proximidades de uma loja de bebidas. Não é que pertençam às mesmas pessoas (geralmente), mas todos alimentam-se do mesmo desespero. Estas empresas não estão enraizadas no amor ou ódio — elas nem ligam o suficiente para odiar os utilizadores de seus serviços. O comportamento, as ações e reações de seus clientes não lhes importam em nenhum sentido, contanto que sejam pagas. Na verdade, nem ligam o suficiente para ajeitar seu modelo de negócio. O interesse principal consiste em ficar rico, não em construir riqueza. Preferem ter uma série de transações bem-sucedidas do que construir um relacionamento sustentável com seus clientes ou com a comunidade.

No entanto, como a crise das hipotecas revelou, a natureza opressiva do setor dos serviços financeiros alternativos em algum momento atingirá um ponto crítico negativo. Este modelo de opressão sustentada simplesmente não é sustentável em escala. Pode ser possível para um setor arriscar-se a destruir sua clientela em vez de construí-la quando o alvo é um pequeno segmento de nossa sociedade e economia, mas as práticas antiéticas associadas a alguns provedores de serviços financeiros alternativos expandem-se cada vez mais para além dos trabalhadores pobres apenas.

Agora vemos essas práticas infiltrando-se e até mesmo se tornando comuns também na vida da classe trabalhadora e da classe média batalhadora.

Um setor de US$ 321 bilhões é dinheiro de verdade, e o tamanho desse mercado confirma não somente que a ignorância compensa, mas também que os bancos tradicionais estão na promissora posição de intervir e oferecer contas bancárias e alguma educação financeira a esses consumidores, como vimos ser feito recentemente pelo Bank of America e pela Khan Academy.[4] Esta é uma chance para os bancos se darem bem fazendo o bem.

De acordo com a Corporação Federal de Seguro de Depósitos, havia quarenta milhões de domicílios com baixo acesso a serviços bancários na América em 2012.[5] São quarenta milhões de clientes que poderiam ser melhor atendidos por meio de uma boa relação com um banco em que pudessem confiar e que lhes proporcionasse acesso rápido à informação. Este é um momento de oportunidade para o setor bancário e uma chance para os carentes e os clientes eventuais terem sua capacitação financeira aumentada. Caso conjugassem uma conta corrente sem saldo mínimo e sem taxas embutidas com um curso de alfabetização financeira, talvez disponível on-line, os bancos tradicionais ganhariam novos e valiosos clientes, melhorando também a vida financeira dos titulares das contas.

Melhorando o serviço bancário

O dilema crescente dos trabalhadores pobres e da classe média batalhadora — confrontados com uma base referencial de analfabetismo financeiro, opções cada vez mais reduzidas entre instituições financeiras convencionais e crescente intromissão do setor de serviços financeiros alternativos — representa tanto um problema para as famílias norte-americanas a curto prazo quanto uma oportunidade para o serviço bancário convencional a longo prazo. Para começar, os clientes de prestadores de serviços financeiros alternativos evitavam, eram rejeitados ou nunca eram clientes de bancos convencionais. Seja qual for o caso, isso significa oportunidade para os bancos dispostos a retornar às suas raízes — em, de e para uma comunidade.

Entretanto, talvez seja surpreendente saber que alguns prestadores de serviços financeiros alternativos realmente podem representar o início de uma solução de baixo para cima. Por exemplo, o *New York Times* fez uma reportagem sobre *La Familia Pawn and Jewelry* em Orlando, Flórida, que oferece serviços de desconto de cheques e pagamento de contas somados ao acesso a um cartão de crédito. Embora os serviços sejam oferecidos por uma loja de penhores — integrante de um setor com uma certa reputação de tirar vantagem dos clientes em necessidade financeira —, representam uma opção em potencial para aqueles sem acesso aos serviços financeiros tradicionais. Algumas outras casas de penhores começaram a oferecer serviços semelhantes.[6]

Existem algumas possíveis desvantagens nesta abordagem, como as taxas de juros potencialmente altas e um custo elevado para transações financeiras básicas em comparação com uma conta corrente ou de poupança tradicionais. O serviço bancário dos penhores também impede os clientes de construir um histórico de crédito tradicional. Mas, se abordado eticamente e com supervisão adequada, o modelo de negócio em si não é um problema. Há tanto uma necessidade quanto um lugar razoável para a maioria desses serviços se situar no mercado mais amplo.

Na verdade, eu fiz negócios (por intermédio da Operação HOPE) com o que chamaria de uma descontadora de cheques ética, a Nix Financial de Los Angeles. Como costumo dizer, a intenção é importante, e Tom Nix, proprietário da Nix Financial, é um homem diferenciado.

O pai de Tom era um dono de mercearia que ficou bem de vida com uma pequena cadeia familiar de lojas de bairro e que tinha uma prática de descontar o que chamava de "cheques de conveniência" para clientes regulares. Ele comprovou que seus clientes regulares eram pessoas honradas que pagavam suas dívidas, e, para muitos, ele até mesmo anotava as contas das compras que não podiam pagar em uma determinada semana. Os clientes sempre voltavam dentro de uma semana ou duas, quando recebiam o salário seguinte, e saldavam sua obrigação. O pai de Tom não cobrava um extra de seus clientes por essa conveniência. Ficava feliz por fazer as negociações, muitas vezes ao longo de toda a vida de um cliente, e ganhava bem.

Por fim, o pai de Tom verificou que estava descontando cada vez mais cheques e, quando acrescentou uma modesta taxa de 1% a 3%, descobriu que ganhava quase tanto dinheiro descontando cheques quanto vendendo legumes — sem ter que fazer estoque. Com o tempo, a Nix Financial virou realidade, com mais de 35 pontos bem-sucedidos em toda South Los Angeles.

Mas este modelo de negócio era diferente. Nix tinha envolvimento com sua comunidade, patrocinando equipes do campeonato local, distribuindo perus de Ação de Graças, retribuindo. A comunidade amava a família Nix, e a família Nix amava a comunidade. A empresa mostrava isso tanto por meio da intenção (como gerenciava o negócio) quanto por meio das ações (como tratava os clientes, os funcionários e a comunidade). Todos os empregados da Nix vinham de comunidades atendidas pela financeira, e a Nix promoveu-se inteiramente da comunidade. A Nix deu em igual medida o que recebeu, e este compromisso continuou a pagar dividendos sob a forma de um negócio altamente bem-sucedido — uma marca sólida, respeitada. E a Nix fez tudo isso cobrando de 1% a 3% para descontar cheques, ao passo que a concorrência cobrava mais de 5% para descontar os mesmíssimos cheques.

Em 2000, fui abordado pelo vice-presidente de um dos maiores bancos do país, o Union Bank da Califórnia, com uma ideia inovadora. O banco queria expandir significativamente seu alcance e cobertura em comunidades de baixa renda de Los Angeles, mas não queria implantar filiais. Em vez disso, encontrou um operador de desconto de cheques ético (adivinhe quem?) e fechou um acordo com ele. No final, todos ganharam. Tom Nix e sua família tiveram condições de negociar ações privadas de sua companhia por ações negociadas em bolsa do Union Bank. Enquanto isso, o Union Bank tinha uma entrada *plug-and-play* no mercado — uma comunidade que o banco genuinamente queria atender melhor —, adquirindo novos clientes já disponíveis e entrando em novos locais, tudo com uma fração do custo de implantação de suas agências tradicionais.

Por fim, o banco envolveu a Operação HOPE como parceira de pleno direito na aquisição da Nix, com o papel de aconselhamento e auxílio na transição dos clientes tradicionais da Nix Financial para novos clientes do Union Bank. Quando os clientes entravam para descontar um cheque, os caixas incentivavam a abertura de uma conta bancária, e, se o cliente fizesse isso, o banco descontava o cheque de graça. O processo funcionou lindamente e atraiu muitas pessoas anteriormente sem banco para o sistema bancário.

Na época, era inédito para qualquer grande instituição bancária fazer parceria com uma organização sem fins lucrativos, que dirá proporcionar igualdade no negócio. Infelizmente, devido a uma mudança na legislação federal, o modelo Nix/ Union Bank/ Operação HOPE eventualmente teve que ser desfeito. Mas o Union Bank seguiu em frente como um banco melhor, mais orientado para a comunidade e até mesmo mais lucrativo, e a Nix enfim foi adquirida por uma das maiores cooperativas de crédito do país. As duas empresas obviamente tinham chegado à mesma conclusão: se dar bem fazendo o bem é simplesmente um negócio bom e inteligente. E atende a comunidade.

CAPÍTULO CINCO

O fundo *hedge* da família trabalhadora

Desde a fundação da América, imóveis sempre foram o fundo *hedge* das famílias de trabalhadores — uma proteção contra ficar sem um tostão no final de uma vida de trabalho duro. Imóveis têm sido uma salvação absoluta para os pobres, e empréstimos *subprime* responsáveis fizeram mais para tirar pobres da pobreza do que qualquer outra coisa nos últimos cinquenta anos. O patrimônio que essas famílias construíram custeou o ensino universitário e forneceu garantia e capital inicial para pequenas empresas que, por sua vez, são o combustível de emprego para cidades e para a América como um todo.

A recente crise dos empréstimos *subprime* irresponsáveis, fraudulentos e especulativos causou danos irreparáveis aos fundos *hedge* dessas famílias, mas a crise não foi culpa do chamado povo pobre e ignorante. Porque os bairros ricos ou de classe alta têm bancos mais do que suficientes, bancos que muitas vezes simplesmente negociam com os mesmos clientes lá e cá. Curiosamente, portanto, a crise global das hipotecas *subprime* foi em alguns aspectos causada por capitalistas míopes tentando criar ou fabricar clientes. Eles fizeram isso tomando muitos produtos financeiros totalmente adequados e empurrando-os para alguns consumidores inocentes e possivelmente financeiramente analfabetos, que pensaram estar fazendo o negócio do século.

E, embora possamos ter ouvido que os pobres e as leis

de reinvestimento comunitário do governo afundaram nossa economia, a crise das hipotecas *subprime* foi, de fato, uma crise da classe média. Em termos de sua parcela no mercado global de hipotecas, as famílias de classe média brancas tomaram mais empréstimos *subprime* do que todos os grupos de minorias juntos, que somam menos de 25% do mercado.

Fora os empréstimos institucionais irresponsáveis, o fator isolado mais significativo na lambança das hipotecas *subprime* não foi pobreza, localização, ou raça, mas domicílios com um só salário. Quando o único provedor desses lares perdeu seu trabalho, tudo por trás daquele contracheque perdido também se foi rapidamente — economias para a aposentadoria, carros e casas.

Quando um indivíduo ou uma família perde um lar, a prefeitura perde um pagante de imposto municipal sobre propriedade, e a perda de receitas para uma cidade se traduz em menos serviços públicos para aquela cidade, diminuição da segurança pública e menos educação de qualidade. Como resultado, o crime aumenta, os empregos desaparecem, e a participação do eleitor declina, porque as pessoas que não possuem muito tendem a não votar muito também. O valor dos terrenos despenca e os impostos sobre a propriedade diminuem ainda mais. Famílias de classe média em busca de estabilidade, segurança pública e boas escolas fogem, e os pobres — que podem bancar o mínimo — acabam pagando mais (por serviços financeiros, entre outras coisas).

Os predadores vencem, a prosperidade geracional fica refém de uma sufocante falta de oportunidade, os pobres ficam confinados em um espaço hermético de ignorância econômica e financeira, e, com o tempo, níveis mais baixos de esperança e o fedor da pobreza acoplam-se. É ter bastante disso e uma cidade vai encontrar-se em apuros, como

Detroit. Em julho de 2013, setecentos mil moradores de Detroit viviam em uma cidade com US$ 18 bilhões de dívida e uma zona central deteriorada com alta criminalidade.[1] Não podemos deixar isso acontecer com mais cidades, pois o país segue o rumo de nossas cidades.

Estas cidades já estavam em apuros por uma variedade de motivos antes de sobrevir a crise financeira. Mas um resultado da crise hipotecária foi que o estímulo econômico secundário não se voltou à construção de novas estradas e pontes, que ajuda a criar estímulo econômico real, empregos e aumento do produto interno bruto. Em vez disso, a maior parte do dinheiro foi para tapar buracos nos orçamentos municipais e estaduais, para compensar a perda de receitas fiscais sobre propriedade.

Mais uma vez, então, vemos que não são os ricos e os bons sobrenomes que impulsionam o crescimento econômico, estabilizam as comunidades ou criam produto interno bruto sustentável — são os pequeninos filhos de Deus, cuidando de sua vida cotidiana em massa. Os pobres não criam a crise, mas levam a culpa, e agora não conseguem empréstimos para a casa própria — até mesmo a *possibilidade* deste fundo *hedge*, outrora confiável, foi-lhes tirada.

Mas há um efeito de ricochete aqui também. Mesmo pessoas de classe média hoje não conseguem fazer uma hipoteca — a menos, claro, que tenham uma pontuação crédito de 800 e 30% para dar de entrada.[2] Os mercados e o nosso governo corrigiram-se em excesso, e agora todos procuram evitar erros futuros não tomando decisões. Isso não é uma resposta; é uma rendição baseada no medo.

Uma mina de ouro potencial

Mas há uma outra maneira. Onde a maioria das pessoas veem bairros pobres e pessoas abandonadas, eu vejo mercados emergentes, empresários, proprietários de pequenas empresas, crescimento de investimentos e criação de empregos à espera de acontecer. A ironia é que, enquanto as comunidades e famílias pobres estão sofrendo dos efeitos da crise das hipotecas *subprime* e todos os efeitos negativos em suas comunidades, os imóveis degradados das zonas urbanas centrais são uma potencial mina de ouro. Essas comunidades, muitas vezes, ficam a quinze minutos ou menos do centro da cidade, de quinze a trinta minutos de portos e grandes polos de transporte e distribuição. Toda a zona sul de Chicago está diante do Lago Michigan, e, no caso de Los Angeles, comunidades pobres como aquela em que eu cresci têm até mesmo acesso fácil às praias!

Essas comunidades, anteriormente de maioria branca, que se tornaram negras e pardas com o tempo, agora estão se tornando silenciosamente de maioria branca outra vez. Isto não é racismo, mas capitalismo puro, orientado pela oportunidade. Infelizmente, ele também constrói apenas vias de mão única de prosperidade econômica, na maior parte levando dos pobres e sem-terra para os ricos e proprietários de terras. Quando fazemos isso, todos perdem.

Alguns diriam que os bancos são sábios em evitar o risco potencial de aceitar um assalariado de baixa renda para um empréstimo ou outro instrumento financeiro, mas aumentar a capacidade financeira dos pobres exige reinventar a forma como avaliamos o risco. Um farto dossiê de subscrição e a documentação do caráter do tomador de empréstimo podem melhorar a pontuação de crédito de uma pessoa e sua aptidão para conseguir um empréstimo. Um farto dossiê de subscrição documenta contas, pagamentos de seguros, pagamentos de aluguel, contas de empréstimos locais e outras formas de crédito que não aparecem em um relatório de crédito ao consumidor. Um farto dossiê de subscrição também implica desafiar itens que possam estar errados num relatório e adicionar documentação que ressalte e reforce a credibilidade e fiabilidade creditícia do mutuário.

A conclusão aqui é que os pobres têm o poder de transformar suas próprias comunidades; só temos de reinventar como medir o risco.

A hipoteca da dignidade

Como vimos nos exemplos de La Familia Pawn and Jewelry e Nix Financial, os serviços bancários não tradicionais não têm que ser predatórios ou destrutivos, mas, em vez disso, podem ajudar uma comunidade e, portanto, ser construtivos. Da mesma forma, no setor de hipotecas existe a oportunidade de se usar adequadamente produtos que caso contrário podem ser vistos como predatórios; contudo, aqui também a implementação mutuamente benéfica requer trabalho e cuidado reais.

Empréstimos com amortização negativa, por exemplo, eram muito populares durante o *boom* de hipotecas *subprime*. Esta hipoteca pode ser apropriada para alguns, mas também tem uma característica potencialmente devastadora: o saldo hipotecário aumenta a cada pagamento, pois o mutuário está pagando apenas os juros e na verdade está pagando *menos* juros do que normalmente seria calculado para aquele período de pagamento. Em troca, o mutuário deve ao credor um montante fixo, a ser quitado em alguma data futura.

Este tipo de hipoteca é perfeito para alguém com grande fortuna pessoal, bom fluxo de caixa e um especialista em impostos gerindo números complexos em uma planilha. Por outro lado, este tipo de hipoteca é um desastre financeiro e familiar para um trabalhador que ganha US$ 42.000 por ano com pouca flexibilidade de renda.

Na sequência das crises econômicas, nossa reação não pode ser não fazer nada. Devemos fazer alguma coisa para permitir às famílias acessar o crédito imobiliário e recuperar seus fundos *hedge* perdidos.

Em outubro de 2012, eu e meu amigo Robert Gnaizda, ex-conselheiro geral do Instituto Greenlining, delineamos uma nova hipoteca sustentável, responsável, de pouco risco, que chamamos de hipoteca da dignidade. Nossa singela proposta apresenta pouquíssimo risco se executada com cuidado e é provável que tenha extraordinário apoio tanto do vasto número de norte-americanos que sonham possuir uma casa quanto de praticamente todas as 7.300 instituições financeiras com garantia federal.

Por este plano, até 20% de todas as hipotecas residenciais a cada ano, durante três anos (aproximadamente um milhão de hipotecas por ano) seriam definidas como hipotecas da dignidade. Tais hipotecas só estariam disponíveis para proprietários potenciais que completassem programas abrangentes de alfabetização financeira e de aconselhamento de crédito, e organizações de aconselhamento habitacional aprovadas pelo Departamento de Habitação e Desenvolvimento Urbano ou o equivalente teriam que certificar que o proprietário potencial está em condições de cumprir os pagamentos da hipoteca, mesmo em caso de doença temporária ou perda de emprego.

Para minimizar o impacto de uma crise temporária desse tipo, proprietários com um bom histórico de pagamentos estariam qualificados para um breve período de pagamentos diferidos durante uma emergência, evitando assim, muitos problemas temporários de pagamento que provocam caos durante as recessões.

O processo de aprovação de empréstimo também garantiria que os mutuários fossem qualificados apenas para as casas de que precisam, em vez de casas muito mais caras — um grande motivo para muita gente ver-se em apuros quando o mercado imobiliário entrou em declínio. Além disso, as hipotecas só estariam disponíveis para casas no valor de 95% ou menos do preço médio na região, e somente proprietários com uma renda igual ou inferior a 120% da média regional seriam elegíveis.

Para se ajustar a quaisquer riscos adicionais (e não pode haver quaisquer riscos substanciais), os credores seriam autorizados a cobrar até 1,25% acima da taxa preferencial mais baixa para uma hipoteca de trinta anos com taxa fixa. No entanto, esse custo adicional seria limitado a alguns anos — a menos que o mutuário não conseguisse fazer os pagamentos na data certa —, após os quais a taxa seria ajustada para baixo, até a taxa fixa prevalente na época de origem, e o prêmio de 1,25% seria aplicado ao valor do principal do mutuário.

Governo e setor bancário deveriam estudar os riscos adicionais de tais hipotecas para os bancos, mas é provável que, dentro de alguns anos, ficasse claro que existe pouco ou nenhum risco adicional em emprestar para muitos dos potenciais compradores de casas atualmente excluídos. Assim, Fannie Mae e Freddie Mac, que compram cerca de 90% de todos os empréstimos da habitação, seriam obrigadas a adquirir esses empréstimos, e os empréstimos seriam tratados como hipotecas qualificadas, ao abrigo da Lei Dodd-Frank. Após este programa provar seu sucesso, poderia ser expandido para todas as famílias de baixa renda e de renda moderada e/ou a todas as famílias com até 150% da renda média que comprassem casas de até 120% ou menos do preço médio na região.[3]

As hipotecas da dignidade são apenas uma solução potencial para esta crise, mas é claro que precisamos de algum tipo de solução para ajudar as pessoas a alcançar o sonho da casa própria. Não fazer nada não apenas limita a capacidade da América de se recuperar economicamente (porque o mercado imobiliário não pode se recuperar de verdade a menos que o mercado de hipotecas se recupere) como também relega a classe trabalhadora e a classe média batalhadora da América aos serviços financeiros alternativos e às fontes privadas de empréstimos de alto custo.

A crise das hipotecas irá amainar, e os interesses e investidores dominantes fluirão para o mercado de hipotecas de baixo risco, que está em curso e aumentando, atendendo a uma necessidade insaciável. A única questão é se o que vem a seguir de fato é bom para todo mundo na América ou representa mais um exemplo de alguns ficando ricos enquanto a maioria fica cada vez mais empobrecida.

Parte III

NUTRINDO ESPERANÇA

CAPÍTULO SEIS

Comunidades com pontuação de crédito de 700

Vimos que, no meio século desde o movimento dos direitos civis e o sonho do Dr. King, um problema (racismo) foi substituído ou pelo menos equiparado por outro — classe e pobreza. Esse é um problema que atravessa a barreira da cor e afeta igualmente comunidades urbanas e rurais.

Já vimos também como são estas comunidades com pontuação de crédito de 500 em áreas urbanas. Chame de Linha da Miséria: as predatórias casas de desconto de cheque ao lado lojas de arrendamento de bens, ao lado de agências de empréstimo *payday*, ao lado de lojas de bebidas. Um grupo aproveita-se dos problemas financeiros e do infortúnio de uma pessoa, enquanto outro grupo se beneficia ajudando a pessoa a esquecer quaisquer problemas financeiros.

Mas há algo que podemos fazer para mudar a paisagem de malogro em nossas comunidades carentes urbanas e rurais: podemos melhorar a pontuação de crédito das pessoas que vivem nelas. Embora os requisitos de pontuação de crédito dependam de cada credor específico, a maioria das pessoas com uma pontuação de crédito "boa", entre 650 e 750, irá se qualificar para um empréstimo com taxas preferenciais. Pontuações na faixa de 500 e abaixo de 600, por outro lado, colocam os devedores na pior categoria de risco pela perspectiva do credor.

Alterar a pontuação de crédito de uma pessoa de 500

para 670, ou mesmo para 700, aumenta sua esperança, aspiração e expectativas. Ela já não precisa ser vitimada por credores inescrupulosos. Ela se sentirá mais empoderada e menos desesperada e, portanto, é menos provável que precise da fuga que a loja de bebidas parece oferecer. E, finalmente, com o tempo, emprestadores *payday*, descontadores de cheques inescrupulosos e credores de títulos convertem-se em cooperativas de crédito e bancos. As lojas de bebidas tornam-se lojas de conveniência e supermercados.

A defesa do consumidor é de vital importância para uma nação, e eu apoio totalmente meu amigo Richard Cordray e o trabalho realizado pela Agência de Proteção Financeira do Consumidor. No entanto, quando as pessoas tomam as decisões mais importantes de suas vidas, tais como contrair uma hipoteca de trinta anos, não há nenhuma polícia da hipoteca na mesa da cozinha com elas. Não há nenhuma polícia do financiamento de veículos aguardando quando elas aparecem com grande entusiasmo na concessionária de carros usados, apenas para serem saudadas com a entusiástica aprovação de um empréstimo com uma taxa de juros efetiva de 18%.

A proteção eficaz do consumidor é importante, mas deve ser combinada com o empoderamento dos consumidores em comunidades e bairros carentes. Isto vai além da mera alfabetização financeira, com um estágio final mais semelhante à dignidade financeira. Na verdade, se proporcionamos proteção sem empoderamento, estas comunidades eventualmente podem enfrentar uma opção que na verdade é pior do que os credores comerciais altamente visíveis ainda que predatórios: a inexistência total de credores.

É aí que entra a pontuação de crédito. Quando uma pessoa altera sua pontuação de crédito de 550 (em média) para 670, ou mais, tudo muda na vida dela. Entender as pontuações de crédito e como mantê-las é um elemento da alfabetização financeira, e, quando injetamos o poder da educação financeira na vida e na mente de um indivíduo, seu senso de bem-estar e esperança sobem às nuvens. Seu comprometimento com sua própria vida ascende a um novo nível, combinando com seu novo conjunto de habilidades financeiras. Nada nessa pessoa jamais será igual novamente, e mudar um indivíduo é o primeiro passo para mudar uma comunidade.

A magia da pontuação de crédito

Há uma década, um jovem chamado Ryan Taylor entrou em um dos nossos escritórios do Centro de Serviços Bancários da Operação HOPE em South Los Angeles com o plano de se tornar designer de roupas. Ele não queria conversar, só queria um empréstimo de US$ 10.000 para ir a Las Vegas para uma conferência de moda e vestuário. Na opinião dele, *capital* significava apenas dinheiro, e ele tinha ouvido falar que tínhamos acesso a dinheiro.

Tentamos explicar que negócios são mais complicados do que ter acesso a dinheiro, e que dinheiro (dinheiro no bolso, aqui e agora) é diferente de financiamento (dinheiro que se paga para tomar emprestado). Tentamos explicar que nunca se deve financiar capital de longo prazo com dívida de curto prazo porque as pequenas empresas precisam de tempo, paciência, investimento, reinvestimento e flexibilidade para crescer, ao passo que os empréstimos bancários vencem a cada trinta dias. Tentamos explicar que a palavra capital vem do latim *capitalis*, ou “da cabeça”.

Mas Taylor nos ignorou quase que por completo. Ele só queria um formulário de proposta. Então processamos seu pedido. Afinal, é um país livre, e estávamos fornecendo acesso ao capital para este empreendedor afro-americano. A história terminou de forma previsível. Nosso jovem empreendedor voltou de Las Vegas de mãos vazias — sem dinheiro e sem encomendas. Os organizadores da conferência tinham feito o que eram treinados para fazer melhor: convencer os outros da importância de irem lá e depois esvaziar as carteiras dos participantes antes do evento acabar. Quando Taylor voltou ao nosso escritório, era uma pessoa completamente diferente. Estava humilde, receptivo, aberto e faminto de conhecimento sobre como vencer. Infelizmente, ele agora também devia US$ 10.000 ao Union Bank. Dessa vez, Taylor viu sentido em nosso conselho e o acatou. Matriculou-se em nosso programa de treinamento em pequenos negócios e empreendedorismo, bem como em nosso programa de aconselhamento de crédito, e, dezoito meses mais tarde, o jovem Taylor era um novo homem.

Criação de comunidades com pontuação de crédito de 700

Na sequência de sua interação conosco, Ryan Taylor comprometeu-se a pagar o empréstimo de US$ 10.000 contraído anteriormente e, ao mesmo tempo, solicitou um novo, também por intermédio da Operação HOPE, no valor de US$ 35.000. Esse novo empréstimo representava o capital inicial orçado para sua nova empresa de vestuário, a DROBE. E, para todos aqueles que dizem que os bancos convencionais nunca fazem nada de bom para as minorias ou para as comunidades minoritárias, isto serve como fonte de inspiração. O Union Bank fez aquele primeiro empréstimo de US$ 10.000 baseado na fé e então fez um segundo empréstimo de US$ 35.000 com base em um sólido plano de negócios.

No fim, ambos os empréstimos foram quitados, e a DROBE é hoje uma pequena empresa de uma década, contribuindo para o todo norte-americano. Eles fazem meus ternos. E Taylor tornou-se aquilo de que a América mais precisa: um contribuinte que está criando seus filhos, empregando pessoas e contribuindo diretamente para a prosperidade de Los Angeles e da nação.

Mas Taylor, com sua parceira Carrie Taylor e a equipe da DROBE, foi ainda mais longe. Eles lançaram uma entidade sem fins lucrativos chamada LEAP, que hoje oferece programação extraclasse em várias escolas da cidade. Ajudamos Taylor a aumentar sua pontuação de crédito, criar a DROBE e se tornar um legítimo homem de negócios, e hoje a DROBE está retribuindo. Taylor levantou o patamar de aspiração não só em sua própria vida, mas também de sua família, de seus novos empregados, das crianças nas escolas onde sua organização sem fins lucrativos opera e de inúmeros outros associados com cada uma dessas unidades de energia econômica.

Agora imagine fazer a mesma coisa não só com um indivíduo, mas com uma comunidade inteira. Com este tipo de intervenção empoderadora, simplesmente ajudando a aumentar a pontuação de crédito dos indivíduos e famílias, a comunidade e a cultura dessa, eventualmente também mudam, tudo pelo poder das forças de mercado e da livre iniciativa. Na Operação HOPE, por exemplo, ajudamos clientes a investigar seu histórico de crédito, descobrir acordos que não se refletem em suas avaliações de crédito e contestar erros em seus registros. Isso altera em muito as pontuações de crédito. Também combinamos essas medidas com treinamento gratuito em alfabetização financeira para que os clientes entendam melhor como aumentar sua capacidade financeira. Quando recebe essa educação básica — a habilidade para se movimentar pelo cenário financeiro e gerenciar a pontuação de crédito —, a esmagadora maioria das pessoas não incorre em inadimplência nos empréstimos ou créditos que recebem. Nós encorajamos os bancos a tomarem medidas semelhantes para criarem melhores mutuários, o que também permitirá aos bancos ficarem mais enraizados em suas comunidades e mais voltados aos clientes. Os clientes de prestadores de serviços financeiros alternativos muitas vezes são repelidos pelas taxas do cheque especial e outras taxas escondidas dos bancos, que eles não entendem direito ou não consideram justas. Ao mesmo tempo, são atraídos pelas relações pessoais que desenvolvem em locais como lojas de desconto de cheques.[1] Esta é uma oportunidade para as instituições bancárias recuperarem esse mercado e fornecerem aos consumidores opções financeiras melhores.

Considere o seguinte: ninguém lava um carro alugado. Por que cuidar do carro se não há nenhum benefício a longo prazo para o locatário? O mesmo se aplica às comunidades. Precisamos criar uma geração de indivíduos que se vejam como agentes da mudança e partes interessadas, que se importem com o lugar onde vivem. Isto não só ajudaria a dissipar práticas ruinosas e predatórias nas comunidades com pontuação de crédito de 500, mas também ajudaria a criar partes interessadas e uma base tributária considerável.

Mais uma vez, vemos que a educação realmente é a ferramenta definitiva para a erradicação da pobreza. Quando se sabe mais, a tendência é fazer melhor.

CAPÍTULO SETE

O poder dos pequenos negócios e do empreendedorismo

Em 2011, o Gallup e a Operação HOPE deram início a uma parceria para a primeira enquete nacional sobre economia comportamental da juventude, examinando os interesses de trinta milhões de jovens da quinta à 12ª série. Entre outras coisas, a pesquisa descobriu que 77% dos jovens querem ser seus próprios chefes, 45% querem possuir seu próprio negócio, e 42% acreditam que criarão algo que vai mudar o mundo. Noventa e um por cento disseram não ter medo de correr riscos, e 91% disseram que sua mente nunca para. Mas apenas 5% dos jovens da maior economia do mundo estão engajados em um estágio numa empresa, e apenas cerca de um terço dos entrevistados tinha um pai ou tutor que já havia começado um negócio.[1]

Além de alfabetização financeira e acesso a crédito e serviços bancários, a América precisa de bons empregos para promover um sistema econômico estável, e precisamos continuar tratando da criação desses empregos. Mas esses postos de trabalho não virão de fontes tradicionais. Em vez disso, precisamos de um enorme foco nacional no empreendedorismo e na criação de pequenas empresas, e foco no desenvolvimento ativo do que eu chamo de projetos de autoemprego. Mesmo quando esse foco na verdade não cria empreendedores, pode ter êxito na criação de algo ainda mais valioso em comunidades pobres: uma mentalidade empreendedora, de “dá para fazer”, de “copo metade cheio”, de "vamos descobrir qual é a nossa". O foco no empoderamento, ao invés de incidir naquilo que é de direito dos cidadãos, seria transformador em si e por si.

Tomemos por exemplo, famílias de minorias de classe média e classe média alta. Elas não estão reclamando de racismo e discriminação, mas não é porque não estejam enfrentando nada disso.

O mesmo é válido para famílias hispânicas de classe média e classe média alta, ou famílias asiáticas recém-imigradas, agora solidamente de classe média e classe média alta, ou famílias judias que superaram a discriminação e tortura desmedidas do Holocausto. Curiosamente, isto se aplica também aos antes pobres brancos da zona rural e às classes operárias, que agora se transformaram na imagem de suas contrapartes "dominantes" de classe média e classe média alta. Essas pessoas não estão reclamando porque estão ocupadas demais superando o racismo, a discriminação ou ambos com os sonhos substitutos que elas mesmas criaram.

Um bom trabalho e consequentemente a segurança financeira e o sucesso econômico que ele oferece, compram muita paciência e tolerância com a ignorância alheia. Com dinheiro no bolso, esperança no coração e oportunidades ocupando a cabeça, é mais fácil simplesmente dizer "tanto faz" e seguir em frente. Ou, como meu amigo Van Jones recentemente me disse a respeito da crescente onda de violência juvenil de minorias em regiões de Chicago e outras comunidades de baixa renda: "Nada como um belo trabalho para deter uma bala".

Um poço inexplorado de empreendedores

Como a maioria dos cidadãos cumpridores da lei, eu odeio a cultura do crime. A ideia de traficantes de drogas e gangues em torno dos quais cresci em Compton e South Central Los Angeles de fato revira meu estômago. Acredito que o tráfico de drogas é imoral e antiético, e que há um lugar especial no inferno reservado para quem vende a morte para seu próprio povo, em sua própria comunidade e em nossas escolas.

Essas pessoas estão ajudando a destruir a própria comunidade e a estrutura familiar que estou tentando cultivar e sustentar, mas, por mais antiéticas e imorais que suas atividades possam ser, acho que os criminosos possuem habilidades que podem ajudar a salvar as comunidades pobres da América, acho que eles muitas vezes representam um tipo de brilhantismo inexplorado. Afinal, o que é um chamado criminoso bem-sucedido que não um empreendedor norte-americano antiético?

Essas pessoas não são burras. Entendem de importação, exportação, atacado, varejo, aumento de preços, marketing, geografia e território, financiamento e, claro, segurança. Entendem como pegar uma ideia e, com muito pouco recurso disponível, tornar essa ideia real — talvez um pouco real demais — na vida das pessoas. São malandros e empreendedores naturais, mas têm exemplos ruins e um modelo de negócios corrupto, construído sobre uma forma de "capitalismo do mal".

Nada disso é sustentável, nada disso deveria acontecer e, dado que estas pessoas não estão pagando impostos sobre seus ganhos ilícitos, pouco destes ganhos irá beneficiar nossa economia sob a forma de produto interno bruto registrado ou ajudar nossa sociedade, auxiliando a financiar o bem público. Mas, com frequência, essas pessoas têm êxito em criar um trabalho para si e oportunidades de emprego para outros ao redor. Para ser um empresário bem-sucedido, é preciso ser do contra, um pensador e realizador ágil, alguém que corre riscos, alguém inovador, persistente e trabalhador, alguém com visão. Estas pessoas têm estas características.

Imagine se pudéssemos transformar pessoas com poucas oportunidades, mas muita imaginação nos visionários e empreendedores do amanhã? Isto poderia representar uma maneira surpreendente de aproveitar o poder do ideal norte-americano, de fomentar o empreendedorismo, as pequenas empresas e criar postos de trabalho.

Faltam 650.000 *startups* para um ponto crítico revolucionário

Segundo a pesquisa Gallup, 70% de todos os empregos da América provêm de pequenas empresas com quinhentos ou menos empregados, e metade de todos os empregos da América provêm de pequenas empresas com cem ou menos funcionários. Jim Clifton acrescenta: "Existem aproximadamente seis milhões de pequenas empresas nos Estados Unidos, e elas são a espinha dorsal da democracia do país. Esses negócios bancam significativamente mais empregos e [produto interno bruto] norte-americanos do que as grandes empresas"[2]. Por quase oito anos consecutivos, a América contabilizou cerca de 400.000 novas empresas por ano, e esse número mergulhou de forma preocupante para 350.000 no último ano reportado. Contudo, de acordo com Clifton, precisamos de aproximadamente um milhão de pequenas empresas por ano para levantar a economia de nosso país, criar empregos e sustentar nossa prosperidade. Isso significa que estamos com 650.000 *startups* a menos, e acredito que um bom número dessas pequenas empresas possa vir de populações deixadas para trás, ignoradas ou maciçamente incompreendidas e subestimadas.

Todavia a necessidade dessas pequenas empresas é ainda mais vital nos lugares e bairros com os quais estou mais preocupado. Essas comunidades têm enormes necessidades não supridas, desde serviço bancário tradicional a postos de gasolina, alimentos de qualidade e até entretenimento. O Serviço de Pesquisa Econômica do Ministério de Agricultura dos Estados Unidos estima que 23,5 milhões de pessoas vivem em "desertos de comida", localizados a mais de 1,5 quilômetro de uma grande mercearia.[3] Mais da metade dessas pessoas (13,5 milhões) são de baixa renda, e existe, portanto, grande necessidade de se instalar mercados e mercearias em muitas comunidades. Suprir essa necessidade é uma das formas pelas quais os pobres podem ajudar a salvar o capitalismo enquanto ajudam a si mesmos.

E, claro, essas comunidades também têm capital humano inexplorado — incluindo aqueles "empreendedores norte-americanos antiéticos" — que pode ser aproveitado em uma série de direções para produzir energia econômica eficaz, de modo que estamos falando tanto de uma população consumidora carente de bens e serviços de qualidade quanto de um nível quase completamente irrealizado de potencial individual de desenvolvimento empreendedor.

Os resultados do Índice Gallup–HOPE e da Pesquisa Estudantil Gallup de 2013 mostraram que os jovens de baixa renda de hoje são mais propensos do que seus pares mais ricos a desenvolver habilidades para a resolução de problemas. Em domicílios com vencimentos inferiores a US$ 36.000 por ano, cerca de 47% dos jovens relataram usar a imaginação todos os dias na escola, em comparação com 35% dos jovens de famílias com renda anual de US$ 90.000 ou mais. Da mesma forma, quase 51% dos jovens de residências de baixa renda relataram aprender novas maneiras de resolver problemas na escola, em comparação com 43% dos jovens de domicílios com renda maior. A pesquisa também mostrou que os grupos minoritários tradicionais têm maior propensão para o empreendedorismo do que suas contrapartes dominantes.[4]

Isso faz todo o sentido, porque jovens de comunidades de baixa renda são obrigados a ter habilidades de enfrentamento muito mais fortes para lidar com gente difícil e situações difíceis e, infelizmente, muitas vezes são obrigados a tomar decisões de adultos bem antes do tempo. Assim como a perda cria líderes, este tipo de gestão sustentada da adversidade cria e cultiva uma personalidade que gerencia melhor as circunstâncias longe da perfeição. Esses jovens podem transformar os desafios tradicionais associados a ambientes de baixa renda em uma nova força, presumindo-se que seus espíritos não sejam esmagados no processo.

Isso significa, é claro, que esses jovens seriam empregados impressionantes para os empregadores tradicionais, e há espaço para o governo incentivar as grandes corporações a estabelecer unidades de negócios apropriadas, tais como *call-centers*, empregando um grande número de pessoas nessas mesmas comunidades.

Mas significa também que esses jovens seriam grandes empreendedores potenciais. Dado que os jovens e adultos de comunidades de baixa renda muitas vezes não têm recursos financeiros para investir, seu capital integralizado normalmente vêm na forma de "capital suor" e grande atividade. Empregos que dependem fortemente destes dois atributos incluem vendas e marketing (incluindo marketing multinível), uma gama de empresas de serviços e de profissões qualificadas, tais como serviços de encanamento e eletricidade, construção e carpintaria.

Comunidades pobres urbanas, de zonas centrais e rurais têm uma coisa em comum: você não vai encontrar nenhuma empresa Fortune 500 lá. Comunidades dominantes e sofisticadas possuem prestadores de serviços em cada esquina, ao passo que as comunidades carentes de que estou falando têm necessidades não supridas por toda parte. Os chamados especialistas argumentam que não há dinheiro nessas comunidades para comprar os itens que tais empresas vendem, mas é justamente o atendimento dessas necessidades que irá desbloquear o poder aquisitivo desses locais — tanto o poder de compra corrente, incluindo o dinheiro atualmente circulante na economia informal, quanto o poder aquisitivo futuro, resultando em oportunidades de aumento de emprego. O suprimento destas necessidades estabiliza as comunidades, e isto, junto com boas escolas, atrai mais moradores. Desta forma, até mesmo as empresas de mais baixa tecnologia, as iniciativas empresariais mais básicas e o menor dos operadores de negócios podem ajudar a criar empregos, aumentar o produto interno bruto e estabilizar as comunidades.

O plano de Eric McLean para o sucesso

Vamos examinar o caso de alguém que realizou o que estou falando. Recentemente, conheci Eric McLean, um notário a domicílio de Atlanta que veio ao meu escritório. Enquanto assinávamos documentos, perguntei como ele se tornou tabelião. Achei que se tratava de uma fonte de renda de meio turno para ele. Isto foi o que eu presumi.

McLean disse que topou com a atividade meio que por acaso e começou pagando US$ 36 à cidade por um selo de notário, mas se comprometeu a trabalhar duro e, no primeiro mês, ganhou mais de US$ 1.000 em renda extra. No oitavo mês do negócio, ele estava ganhando US$ 17.000 *por mês*! Quando conversamos, McLean tinha dez notários a domicílio trabalhando para ele em Atlanta e arredores, outros 35 notários a domicílio no estado e mais de 150 notários a domicílio no que ele chamou de sua rede nacional. Ele estava preenchendo mais de 150 cheques por mês para donos de pequenos negócios em todo o país que estavam ganhando a vida como notários a domicílio em turno integral, todos trabalhando por meio dele.

Mas não foi só isso. McLean contou sobre seu segundo negócio, seguros, e como ele entrou neste ramo ao perceber que corretores tradicionais de seguro de automóveis realmente não gostam de trabalhar depois das cinco ou seis da tarde em dias de semana e quase nunca nos finais de semana. McLean percebeu que a maioria das pessoas provavelmente compra carros à tardinha ou nos fins de semana, então abriu um espaço diferenciado que ficava aberto das nove às 21 horas durante a semana, do meio-dia às 21 horas aos sábados e meio turno aos domingos. McLean também ganhou montes de dinheiro nesse ramo.

McLean não tentou curar o câncer ou criar a nova sensação da internet. O negócio dele nem era o que se chamaria de sofisticado. Ele não fez um investimento típico de *startup*, não alugou um espaço para escritório caro, nem arrendou um carro de luxo para impressionar os clientes ou qualquer outra pessoa. Os cartões dele não o identificam como dono do negócio, simplesmente dizem "tabelião". Dizer "CEO", ele raciocinou, não produziria um adicional de clientes felizes para seu negócio.

O plano de McLean para seu negócio simples era, em si, bastante simples. Ele descobriu algo de que quase todos em sua área local necessitariam em algum momento, investiu

US$ 36 em si mesmo e em seu sonho, e então se levantou na manhã seguinte — e todas as manhãs desde então — comprometido em fazer o trabalho. O verdadeiro sucesso não precisa ser complicado quando o compromisso de trabalhar está presente.

McLean também me lembrou que sua taxa de certificação anual de notário e todas as taxas de licença para o ano foram efetivamente pagas por mim naquela única semana. Ele agradeceu-me e lá se foi adiante.

Uma geração de líderes

Que homem! Um homem negro humilde, de calça casual e camisa polo amarela, empunhando um selo de notário de US$ 36 e cartões de visita sem um título, gerando US$ 20.000 por mês de fluxo de caixa no negócio. Precisamos de mais mil pessoas como ele, uma geração de empresários, proprietários de pequenas empresas e projetos de autoemprego. Isto, por sua vez, vai gerar empregos em bairros urbanos, zonas centrais e rurais de baixa renda. Isto é algo que todo mundo poderia fazer, em todas as comunidades por toda a nação.

Fazer isso também criará contribuintes e partes interessadas, que, como temos observado, são a chave para o financiamento de infraestrutura e de boas escolas e para a criação de um ambiente no qual a maioria da população da comunidade fique inclinada a votar. Isso cria a mentalidade empreendedora, que pode ajudar as comunidades pobres a encontrar esperança, e essa mentalidade se constrói sobre si mesma, tornando-se mais poderosa a cada geração. Tanto o fracasso como o sucesso são culturas, e tal como fracasso gera mais fracasso, sucesso gera mais sucesso.

Então como motivar os jovens a abraçar seu espírito empreendedor e começar a trabalhar na melhoria de sua vida e de sua comunidade? Embora o medo possa funcionar como um motivador para mudar o comportamento humano, não é tão eficaz, nem constante. Aspiração, por outro lado, é muito mais eficaz na mudança de comportamento. Aspiração está ligada à esperança em si.

Parece haver hoje uma desconexão entre educação e carreira, com a juventude norte-americana mais animada a respeito de ser rica ou ser seu próprio chefe do que com se especializar em negócios ou estudar economia. Os jovens querem duas coisas como resultado de seus anos comprometidos com a educação: querem arranjar um bom emprego ou querem obter uma boa chance de oportunidade econômica genuína, ou seja, querem possuir, ou criar ou fazer algo por conta própria. E, em qualquer carreira, precisam das habilidades necessárias, juntamente com a oportunidade. Precisamos reconectar essa aspiração com a educação que permita aos jovens verem o valor de sua escolaridade.

Os jovens estão abandonando o ensino médio na América por um motivo principal: não acreditam que a educação seja relevante para seu futuro.[5] Se não conseguirmos convencer os jovens de que a escola pode oferecer também um trabalho ou uma chance de oportunidades econômicas, se eles não comprarem o que as escolas estão vendendo, nem pensar em mantê-los na escola. Temos que chegar mais cedo nessas crianças e dar esperança de que, com a ajuda delas, podemos combinar suas aspirações empreendedoras com acesso a estágios em empresas e modelos de negócios. Para fazer isso, precisamos de um sistema que identifique e eduque esses pretensos empreendedores.

Conforme Jim Clifton salientou, os Estados Unidos são extremamente bons no desenvolvimento intelectual. Nossas melhores escolas e universidades identificam e nutrem o talento intelectual. Se um aluno apresenta um QI particularmente elevado, testes irão identificar aquele aluno, mesmo em um bairro pobre ou carente. E, se um estudante é extremamente talentoso, provavelmente será convidado a frequentar as melhores universidades e até receberá bolsa de estudo ou ajuda financeira. O mesmo é verdade para as pessoas com talento atlético excepcional. Mas o sistema não tem como identificar alguém com as habilidades que se prestam ao empreendedorismo — por exemplo, determinação, otimismo ou habilidade para resolver problemas.

> Faculdades e universidades atribuem um peso tremendo às notas do SAT ou ACT. Mas ninguém pergunta sobre a capacidade do requerente de iniciar uma empresa, construir uma organização ou criar milhões de clientes. A América deixa isso ao acaso. (...) Existem hoje quase trinta milhões de alunos nas escolas de ensino fundamental e médio. Pesquisas iniciais nos laboratórios do Gallup mostram que cerca de três em cada mil adultos em idade produtiva nos Estados Unidos possuem o raro talento do empreendedorismo. Isso significa que há potencialmente cerca de noventa mil futuras "aberrações da natureza" por aí. Deixe-me tomar a liberdade de arredondar esse número para cem mil potenciais supertalentos—potenciais empresários como Steve Jobs,

> Wayne Huizenga ou Meg Whitman. A América precisa encontrar todos eles e tornar seu desenvolvimento empresarial sistemático e intencional, assim como é feito com o desenvolvimento intelectual neste país.[6]

Mesmo que o caminho empreendedor não seja a via certa para todos, construir habilidades empreendedoras em todos — nutrir sua esperança, bem-estar, comprometimento, alfabetização financeira e energia econômica — vai turbinar aspirações, ambição e níveis de confiança. Isto, por sua vez, tem maior probabilidade de produzir uma geração de líderes.

O caminho para o crescimento a longo prazo

Para impulsionar uma economia estagnada e colocar o país no caminho do crescimento econômico e da prosperidade a longo prazo — inclusive do domínio global outra vez — os líderes devem acertar suas suposições. Devem entender que o empreendedorismo triunfa sobre a inovação e que encontrar a próxima geração de grandes empresários significa cultivá-los nas escolas de ensino fundamental e médio, faculdades e universidades, assim como por certo e intencionalmente o país cultiva inovadores. Corrigindo-se esses pressupostos e agindo de acordo, a América, ao invés de estagnar, declinar ou ir à falência de vez, ascenderá a novos patamares de liderança econômica global. Mas o empreendedorismo não pode ser promovido por Washington, deve ser desenvolvido a nível municipal.

Devemos encontrar as cem mil "aberrações da natureza" empresariais e intencionalmente desenvolvê-las como fazemos com alunos de QI raro e atletas de elite. A seguir, temos de identificar pequenas empresas de alto potencial e colocá-las em relações de poder com mentores locais. O setor onde os trabalhadores pobres, os jovens e aqueles na classe média mais podem ajudar é precisamente na criação daquelas 650.000 novas pequenas empresas que se fazem necessárias. Coletivamente, eles têm a vontade e a motivação de ajudar a resolver este problema da América, e, conforme observado pelo Índice Gallup–HOPE, têm a aptidão natural e muitas das habilidades naturais. Além disso, existe esperança até mesmo para a geração de jovens que tem sido e infelizmente continua isolada como empreendedores ilegais. Exorto os bancos a incentivar o empreendedorismo comunitário em áreas com economias deprimidas por meio da concessão de empréstimos que ofereçam suporte a pequenos negócios e ao crescimento de *startups* locais. Talvez então vejamos mais pequenas empresas suprindo necessidades não atendidas nessas áreas e empregando pessoas na comunidade.

Exemplos e esperança

Além de desenvolver o talento das pessoas e abrir caminho para o espírito empreendedor, devemos incentivar exemplos comunitários e modelos de negócio mais fortes. As pessoas querem ser respeitadas e admiradas, mas, quando seus modelos são inexistentes ou negativos, quando seu ambiente é horrível e contém poucas relações de sucesso e poder, ou quando as escolas não traduzem suas aspirações, uma vida de crime pode parecer atraente. E, quando a unidade familiar é quebrada ou inexiste, o vínculo e o suporte inerentes a uma gangue ou empreendimento criminoso realmente começam a parecer e dar a sensação de uma família. Tudo isso pode ser endireitado, em parte, oferecendo às pessoas exemplos mais positivos.

Todos nós somos quem somos por causa de nossos modelos. O que quer que alguém tenha se tornado na vida teve início pela visão daquela imagem em algum lugar. Ser inteligente e trabalhar duro não é suficiente se você não tem um relacionamento com um mentor ou um exemplo de vida de sucesso.

Eu era um garoto esperto, autoconfiante e hoje trabalho duro, mas também sou sábio o suficiente para saber que não cheguei sozinho onde estou. Como todo mundo, tive muita ajuda ao longo do caminho sob a forma de exemplos. Hoje sou empresário, por exemplo, porque meu pai era um homem de negócios e teve sua própria empresa desde que me lembro. Eu me amo hoje porque, quando era criança, minha mãe dizia todos os dias que me amava, e eu acreditei piamente. A esperança tornou-se real na minha vida. Nesse sentido, nunca fui pobre. Eu apenas não tinha muito dinheiro.

Mas meus pais não eram os únicos exemplos na minha comunidade, e vi meu bairro inteiro servindo de modelo essencialmente em duas coisas: trabalhar para grandes empresas ou para o governo, ou, infelizmente, os primórdios do que hoje podemos chamar de cultura da bandidagem. Em qualquer dos casos, o que eu via não parecia contribuir para o sucesso a longo prazo. Nunca vi os bandidos urbanos envelhecerem, e eles realmente nunca se aposentavam. Eram mortos ou presos por suas atividades (na verdade, continuam sendo presos, e isso, em si, tornou-se um mercado específico). Seus artifícios não tinham futuro, eles estavam matando seus clientes. Evidentemente não era algo sustentável.

Mas a outra rota também não parecia oferecer muita

coisa. Por exemplo, minha mãe trabalhou para a McDonnell Douglas em Long Beach, Califórnia, mas nunca conheci ninguém lá que estivesse realmente no comando de seu próprio destino. Havia um monte de chefes, cujos títulos diziam que eram gerentes, supervisores, líderes de turno, delegados sindicais e coisas assim. Tinham autoridade sobre outros trabalhadores e tinham algum grau de controle sobre as condições de trabalho, coisas importantes, mas não era isto que eu estava procurando.

Eu continuava à procura das pessoas que tinham as chaves do prédio, não do departamento onde minha mãe trabalhava com seus colegas. Quem era o chefe — o proprietário, o empresário, o fundador que montou todo o empreendimento? Quem era o mandante supremo e recebia a maior parte do retorno financeiro?

Da mesma forma, enquanto meus amigos ficavam boquiabertos com astros dos esportes ganhando milhões de dólares por ano, eu queria saber quem tinha riqueza e poder suficientes para pagar aquela quantidade de dinheiro a quinze jogadores, sem falar de todas as despesas e equipe de apoio. Com todo respeito, os jogadores, por mais incríveis que fossem, eram todos empregados. Essa outra pessoa era *a empregadora*. Os jogadores mudavam, mas os proprietários, eles seguiam em frente. Eu queria saber como funcionava este sistema. Queria saber quem tinha o poder de fazer tudo isso, e como conseguia. Queria desmontar este poder econômico e remontá-lo com as pessoas pobres que conhecia.

Aspiração e oportunidade

Um estudo da Universidade de Chicago citado em *The Tipping Point (* 'O ponto da virada', publicado no Brasil pela editora Sextante), de Malcolm Gladwell, observou que é preciso apenas 5% de uma comunidade atuando como exemplo para estabilizar tal comunidade.[7] Acho incrível que apenas 5% de uma comunidade precise se levantar e mostrar aos jovens o caminho para uma carreira de sucesso para acionar um ponto de virada econômico que pode estabilizar um bairro e, eventualmente, uma nação!

Por isso a Operação HOPE iniciou uma parceria com o Gallup para instituir um estudo de cem anos para avaliar o potencial de empreendedorismo e oportunidade na juventude. Após dois anos de dados, o Índice Gallup–HOPE tem mostrado que, apesar de 77% dos estudantes quererem ser seus próprios chefes, apenas 5% de fato estão aprendendo as habilidades necessárias para isso, estagiando em empresas locais.[8] O que aconteceria se conseguíssemos conectar 5% dos adultos em comunidades de baixa renda aos 5% aprendendo as habilidades necessárias para se tornarem empresários? Melhor ainda, se conseguíssemos preparar 20% dos estudantes para serem empreendedores e depois conectássemos essa população ainda mais ampla com mentores adultos?

Se os chamados pobres pudessem acessar uma base mais ampla de exemplos, estágios em empresas ao sair do ensino médio ou mesmo fundamental e uma nova imagem correspondente de si mesmos, outros também começariam a vê-los através de uma nova lente. A nova imagem seria de oportunidade e aspiração, em vez de pobreza e desespero. E imagine se eles tivessem novas ferramentas para acompanhar esta nova perspectiva, uma cultura diferente de empreendedorismo, propriedade de pequenas empresas e criação de emprego, uma cultura de criar algo para si, por si.

As estimativas atuais indicam que 20% a 50% dos alunos em muitas grandes escolas urbanas de nível médio deixam de se formar em parte porque não acreditam que sua educação vá conectá-los a uma carreira sustentável. Alunos que não concluem o ensino médio têm resultados globais de vida mais baixos, incluindo rendimentos mais baixos a vida inteira, taxas menores de emprego, diminuição da saúde e taxas maiores de encarceramento.[9] Assim, abandonar os estudos e ficar em posição inferior na economia tem efeito negativo não apenas no ex-estudante, mas também na sociedade como um todo e acarreta um grande fardo para os contribuintes. O Projeto de pesquisa de evasão escolar da Califórnia verificou que o abandono dos estudos apenas da turma de 2007 vai custar ao estado US$ 46,4 bilhões ao longo da vida dos desistentes.[10] Esses custos incluem vencimentos perdidos, menor crescimento econômico, menores receitas fiscais e maiores gastos do governo.[11]

Devemos conectar a próxima geração com um papel significativo na força de trabalho por meio de mais orientação do setor privado, indicando caminhos para uma carreira desde cedo e com exemplos positivos nas escolas e comunidades. Temos de empolgar os alunos a respeito da conexão entre sua educação, suas ambições e sua potencial carreira. Cada um de nós pode ser um modelo em sua própria comunidade e na vida das pessoas ao redor. O trabalho da nossa geração será conectar os 45% de jovens que querem começar seus próprios negócios com mais mentores e estágios de modo que mais de 5% deles possam ter a capacitação profissional e a orientação necessária para embarcar em uma carreira de sucesso.

Se conseguíssemos conectar aspiração com oportunidade de carreira por meio de aumento de exemplos para a juventude, tudo poderia ser diferente. Em vez de se encontrar escolas fracassadas em zonas econômicas mortas, as comunidades de baixa renda seriam mercados emergentes aquecidos, proporcionando crescimento de valor agregado à América. Essa é a nossa tarefa, e o nosso momento é este.

Parte IV

COLHENDO ESPERANÇA

CAPÍTULO OITO

O Plano HOPE

Depois da Segunda Guerra Mundial, os Estados Unidos montaram uma iniciativa para fornecer apoio técnico e econômico para ajudar a Europa a reconstruir suas cidades e economias. Chamado de Programa de Recuperação Europeia, mas popularmente conhecido como *Plano Marshall* devido ao secretário de Estado George Marshall, o plano foi concebido para modernizar a indústria europeia e remover barreiras de comércio, além de revitalizar cidades destruídas e recolocar as pessoas no trabalho.

O programa começou em abril de 1948, durou quatro anos e foi um sucesso absoluto. Os quatro anos de assistência técnica e financeira norte-americana podem não ter sido os únicos responsáveis pela recuperação da Europa, mas certamente ajudaram, e, hoje, a maioria dos líderes provavelmente concordaria que isso não só era a coisa certa a fazer naquele momento, como também foi uma política inteligente e uma medida econômica ainda mais inteligente. Estamos nos beneficiando dos efeitos do Plano Marshall até agora, e a Alemanha, nossa ex-inimiga, é hoje uma das maiores e mais vitais economias do mundo, bem como uma de nossas principais aliadas e maiores parceiras comerciais (o mesmo é válido para o Japão, a quem os Estados Unidos também ofereceram assistência). Talvez mais importante tenha sido a América adquirir autoridade moral global por empreender esse plano e, pela primeira vez, tornar-se líder mundial. Depois das bombas, veio uma agenda ativista de dignidade, prosperidade e oportunidade para todos, tanto aqui como no exterior. Isso não foi uma resposta democrata ou republicana. Foi uma bem-sucedida resposta norte-americana. O sistema econômico global de que todos nós agora desfrutamos tem por base o poder de influência adquirido. Hoje, trazer esperança para a economia dos Estados Unidos requer um *Plano Marshall* econômico para os nossos tempos. Chame de Plano HOPE. Seus exércitos são os mais humildes, e o estado-maior são os líderes de negócios norte-americanos e mundiais, respaldados por líderes de governo com visão e coragem. A missão é nada menos do que erguer os trabalhadores pobres, os carentes e a classe média batalhadora, oferecendo as ferramentas, o roteiro e a inspiração para recuperar suas vidas e uma sociedade que realmente funcione para todos.

O *Plano Marshall* original reconstruiu cidades despedaçadas; esse plano deve reconstruir esperanças, sonhos e um caminho de bom senso na direção de uma futura prosperidade compartilhada antes de construirmos uma nova estrada, ponte ou prédio. Na verdade, se não fizermos o primeiro, este último não significará muita coisa. O Plano HOPE para a reconstrução da América inclui as coisas que podem ser feitas neste momento — pelo nosso governo, sim, mas mais especificamente por cada um de nós. Essas ações, potencialmente transformadoras para nos guiar em direção a uma união mais próspera e inclusiva, são práticas e estão ao nosso alcance, permitindo a todos nós contribuir para o cumprimento da promessa da Constituição dos Estados Unidos e nossa Declaração de Direitos de que todos os norte-americanos irão desfrutar da vida, de liberdade e da busca de felicidade. Não alguns, mas todos nós.

Alfabetização financeira e acesso financeiro

Como já vimos, dar um lugar à mesa para os pobres e carentes começa com o ensinamento dos princípios básicos das finanças e tudo o que vem com ele, incluindo o acesso a crédito bancário, pontuação de crédito melhorada e casa própria ou outros imóveis. As seguintes medidas trabalham em favor desses objetivos:

- **Defender a educação em alfabetização financeira custeada pelo governo federal para todas as crianças do país, do jardim de infância à faculdade.** Não podemos esperar que as pessoas participem de um sistema financeiro que seja um mistério para elas, e a incapacidade de operar em nosso mundo cada vez mais orientado para as finanças é um sério obstáculo para pessoas que não tenham as ferramentas básicas de alfabetização financeira. O currículo básico comum adotado atualmente por 46 estados e pelo Distrito de Colúmbia é um excelente veículo para a transmissão de noções básicas de finanças, ao lado de temas como matemática fundamental. Amy Rosen, Beth Kobliner e o Conselho Consultivo do Presidente sobre Capacitação Financeira criaram um modelo para este trabalho, chamado "Dinheiro enquanto Você Cresce".[1]
- **Estabelecer o acesso a serviços bancários como um direito humano para todos os norte-americanos ao nascer.** Manter um volume estimado de quarenta milhões de pessoas e dez milhões de famílias norte-americanas[2] com acesso precário a instituições financeiras, fora do sistema bancário convencional, é mais punitivo

para elas e para nossa saúde econômica nacional do que simplesmente permitir o acesso de baixo risco ao serviço bancário universal baseado em cartão de débito. Além de expor milhões de pessoas em comunidades de baixa renda a prestadores inescrupulosos de serviços financeiros não tradicionais, a falta de uma conta bancária acarreta uma série de outras consequências. Por exemplo, muitas vítimas do furacão Katrina não puderam receber pagamentos da Agência Federal de Gestão de Emergências porque não tinham uma conta bancária para o depósito de fundos, e a participação na nova Lei de Cuidados de Saúde Acessíveis exigirá uma conta bancária ou alguma outra forma aceitável de acesso financeiro convencional. Garantir uma conta bancária para todos irá ligar a alfabetização financeira diretamente com a capacitação financeira de cada cidadão norte-americano.

- **Melhorar a pontuação de crédito em comunidades com pontuações de 500.** Como já vimos, uma pontuação de crédito pobre afeta todos os aspectos da vida de uma pessoa e, por extensão, de sua comunidade. Incapacidade de acesso a crédito cria presas fáceis para empréstimos inescrupulosos, impossibilita a casa própria e ainda pode afetar a capacidade de se conseguir um emprego. Aumentar a pontuação de crédito das pessoas em comunidades com pontuação de crédito de 500 beneficia não só os indivíduos, mas também tem o poder de transformar comunidades inteiras.
- **Criar redução de impostos para a classe média e incentivos para famílias de baixa**

renda para a compra de casas e o investimento na reabilitação de imóveis locais inativos. A casa própria fornece estabilidade financeira e participação na comunidade a famílias de baixa renda e de classe média. Devemos fomentar a capacidade das pessoas de participar da aquisição da casa própria por meio de 'Hipotecas da Dignidade' ou programas similares.

- **Direcionar o Departamento do Tesouro dos Estados Unidos e a Receita Federal para debitar automaticamente a dedução do imposto sobre rendimentos para todos os indivíduos e famílias que se qualifiquem.** Muitas pessoas de baixa renda nem se dão conta de que estão qualificadas para esse crédito financiado pelo governo federal para os trabalhadores.
- **Construir o bem-estar financeiro e a alfabetização financeira na cultura corporativa e nos departamentos de recursos humanos dos empregadores.** Investir na força de trabalho proporcionando educação financeira básica às pessoas proporcionará retornos mensuráveis para os empregadores, incluindo maior bem-estar e comprometimento dos empregados, que irão sentir que estão prosperando. Essas e outras ações do empregador em favor dos funcionários ajudarão a reduzir os níveis de estresse do trabalhador, o que muitas vezes aumenta o moral.[3]

Emprego e empreendedorismo

Além de estabelecer alfabetização e empoderamento financeiros, precisamos criar oportunidades e incentivos para o emprego e o empreendedorismo. Aqui os elementos do Plano HOPE incluem iniciativas de criação de emprego e empreendedorismo.

- **Criar redução de impostos e incentivos para o setor privado proporcionando estágios nas empresas logo após a formatura no ensino médio.** Se pudéssemos fornecer um estágio remunerado para todos os jovens que atingissem nota de aprovação no ensino médio, teríamos condições de acabar com a epidemia de evasão do ensino médio na América. Tudo que os jovens realmente querem como resultado da educação é um bom emprego ou uma chance de oportunidades econômicas. Proporcionar essa oportunidade na forma de estágios ajudaria a resolver vários problemas, inclusive uma redução da média de US$ 37.440 que cada desistente jovem custa à nação por ano.[4]
- **Estabelecer financiamento do patrimônio público e/ou incentivos público-privados correspondentes para a criação de pequenas empresas e *startups* empresariais.** Isso poderia se basear no programa da Companhia de Investimento em Pequenas Empresas e na Lei JOBS de financiamento coletivo aprovada em 2012.
- **Deflagrar a inovação norte-americana em todos os níveis da sociedade.** Colocar um escritório de registro de patentes dos Estados Unidos em todas as comunidades de baixa renda. Incentivar comunidades de baixa renda a

aumentar radicalmente a cultura e a experiência de "ideias para patentear".

- **Instituir um plano de revitalização da infraestrutura nacional para reparar, revitalizar e reconstruir estradas, pontes, sistemas ferroviários e portos da nação.** Nossa infraestrutura nacional tem grande necessidade de reparos, e nosso povo precisa de empregos. Combinar essa necessidade com a oportunidade de empregar pessoas é bom para os indivíduos, bom para o nosso país e bom para a economia.

Nutrindo o capital humano

Garantir o sucesso das duas primeiras partes do Plano HOPE requer que certas necessidades básicas de capital humano sejam atendidas. Promover a educação, incentivar a autoestima da garotada, proporcionar exemplos e criar sustentabilidade ambiental são as condições que habilitam tudo o mais do plano.

- **Firmar um compromisso absoluto para uma educação subsidiada e do tamanho certo para todos.** Ter uma população educada não é um privilégio ou um luxo, é uma necessidade para o crescimento econômico nacional futuro e sustentável e para a estabilidade da nossa democracia. Além disso, custa menos do que aumentar o poder de polícia do estado. Hoje, no entanto, nosso sistema de ensino está falhando. As comunidades pobres têm escolas pobres com falta de professores, falta de um programa de ensino adequado e também com escassez de recursos dos mais variados tipos. E, mesmo quando o ensino fundamental e médio é adequado, o estrangulamento opressivo do crédito estudantil e a dívida que este acarreta se tornam um entrave efetivo às aspirações e desenvolvimento global dos jovens e de novas famílias. Devemos nos comprometer a proporcionar oportunidades educacionais grátis e de qualidade a todos os cidadãos.

- **Adotar uma estratégia de crescimento inclusivo.** Se uma empresa ou um órgão do governo quer ser eficaz, viável e sustentável à medida que cresce, deve incorporar todos os membros de sua comunidade. A América é bem-sucedida em parte porque se esforça para incluir todos os povos e raças, e em geral se beneficia desta política e abordagem. Califórnia e Nova York, por exemplo, são as maiores economias nos Estados Unidos, e acontece que também são os estados mais diversos em termos étnicos. Incentivar cada empresa e governo local a adotar sua própria versão de uma estratégia de crescimento inclusivo (diversidade) traria mais daqueles que estão fora da economia convencional para dentro dela e ajudaria a impulsionar o crescimento continuado. Diversidade não é só uma questão moral, mas também é simplesmente um bom negócio.
- **Focar na transformação ao invés do simples encarceramento da população prisional não violenta.** Em vez de trancafiar pessoas por crimes não violentos e criar gente que muitas vezes descobrirá que é quase impossível encontrar emprego depois de ser libertada com antecedentes criminais, devemos encorajar e incentivar programas de trabalho de todos os tipos, incluindo iniciativas de

empreendedorismo, pequenas empresas e projetos de autoemprego. Educação faz muito mais sentido para as perspectivas de longo prazo do país.

- **Criar um incentivo e isenções fiscais para todos os norte-americanos serem voluntários como exemplos em suas comunidades pelo menos uma vez por mês.** As empresas devem recompensar empregados por se voluntariar (como muitos fazem) e por orientar e servir de exemplo em suas comunidades.
- **Estabelecer a sustentabilidade ambiental como uma nova norma cultural.** Criar incentivos e isenções fiscais para empregadores, famílias e indivíduos que adotarem um caminho holístico de sustentabilidade ambiental sob a forma de economia de energia e/ou criação de empregos verdes.
- **Criar um cargo público de diretor de oportunidade dentro de cada agência dos governos federal, estadual e municipal.** Os pobres não têm um lobista; portanto, a missão dos funcionários de oportunidade seria a promoção de oportunidades para todos, examinando as atividades de vários órgãos governamentais e como eles poderiam ser ampliados, modificados, reestruturados ou realinhados para oferecer empregos e oportunidades econômicas. Idealmente, os funcionários de oportunidade seriam CEOs aposentados do setor privado e outros com experiência na criação de emprego e oportunidades.

A América e, por extensão, o mundo têm lidado, desde 2006, com algo que realmente não é apenas uma crise econômica. A crise está meramente mostrando-se em termos econômicos porque hoje vivemos em um mundo em grande parte econômico. Esta é, na verdade, uma crise de valores e virtudes. Atingimos uma muralha. Não é a América em recessão, é a América em *reset*. Temos diante de nós, neste momento, a oportunidade do século para mudar tudo.

O Plano HOPE é uma grande ideia que visa não apenas incluir os pobres, ser moral e bondoso ou acalmar a crescente classe média batalhadora. É um plano ousado para fundir as massas desordenadas com o sucesso futuro desta nação. É o refazer da América que realmente vai salvá-la.

A Operação HOPE está focada especificamente no que o Dr. King referiu-se como a terceira fase do movimento dos direitos civis, ou a Campanha dos Pobres, que ele descreveu em seu último livro, *Para onde vamos daqui: caos ou comunidade?*, e lançou em 1968.[5] O Dr. King foi morto em Memphis, Tennessee, durante a primeira etapa deste movimento, mas ainda estamos nos fazendo algumas destas mesmas perguntas quase cinquenta anos depois.

Com o lançamento da próxima fase do trabalho, que opera em escala nacional, mas visa um impacto local mensurável, procuramos responder algumas dessas perguntas. O Plano HOPE destina-se a injetar na sociedade um plano de ação real, tangível e prático, no qual a maioria pode desempenhar um papel significativo.

CAPÍTULO NOVE

Projeto 5117

O Projeto 5117 é a revolucionária abordagem quádrupla da Operação HOPE para combater a desigualdade econômica. Os programas do Projeto 5117 melhoram a alfabetização financeira, aumentam a atual taxa nacional de modelos de negócio e estágios em empresas de 5% para 20% e estabilizam o sonho americano empoderando adultos e famílias para que se envolvam no sistema bancário e para ajudar a aumentar sua pontuação de crédito.[1] Esse projeto foi lançado por toda a América em 2014 e, em 2020, alcançará os seguintes valores de referência:

- Temos de começar empoderando **cinco milhões de jovens** com um novo nível de alfabetização financeira por meio de programas de educação única de dignidade financeira já ministrados com sucesso em 3.500 escolas de todo o país. O programa garante a educação em proteção básica do consumidor para uma geração, fazendo isso de forma inteligente e bacana para que as crianças fiquem na escola.
- Em seguida, temos de ajudar **um milhão** desses estudantes a se tornarem futuros empreendedores e criadores de empregos locais por meio das academias *HOPE Business in a Box*, patrocinadas por uma parceria de cem anos com a Gallup Inc. Esse esforço reconecta poderosamente a educação com a

aspiração na vida dos nossos jovens. Estão planejadas duas mil academias *HOPE Business in a Box* por toda a nação, em comunidades urbanas e rurais.

- Terceiro, a fim de proporcionar às famílias acesso a serviços bancários, estamos estabelecendo **mil agências bancárias "*bottom-up*"** (centros de empoderamento financeiro) por toda a América, através de um programa chamado *HOPE Inside*, bem como cinco mil locais certificados por meio do *HOPE Inside Plus*. Este plano é inteiramente coerente com as estratégias de crescimento a longo prazo dos principais bancos e se baseia na rede de agências bancárias existentes em toda a América.
- Finalmente, para atingir a meta de **aumentar a pontuação de crédito a um nível financiável de 700**, teremos como alvo quem ganha US$ 50.000 ou menos anualmente. Este grupo compreende os trabalhadores pobres, a classe trabalhadora e a classe média batalhadora.

O Projeto 5117 visa mudar e transformar toda uma geração, empoderando futuros líderes para a América e estabilizando e enraizando esta geração de trabalhadores pobres, classe trabalhadora e comunidades de classe média, primeiro abordando o poder inexplorado de modelos de negócio e estágios em empresas para jovens e, em seguida, criando oportunidades para as famílias fazerem parte dos serviços bancários e de crédito.

Cinco milhões de crianças

Vamos começar com cinco milhões de alunos da quarta

até a 12ª série em todo o país. Cinco Milhões de Crianças, ou 5MK (Five Million Kids) para abreviar, é copresidida pelo ícone do entretenimento Quincy Jones e pelo ícone dos direitos civis Andrew Young, com o apoio de outros embaixadores 5MK vitais, tais como o "presidente do hip-hop" Russell Simmons, o ator e comediante Chris Tucker e uma lista crescente de outras lideranças do entretenimento e dos esportes.

Se você quer fazer uma criança de uma comunidade de baixa renda dormir, dê um curso de alfabetização financeira tradicional. É por isso que estamos desenvolvendo a marca da 5MK à imagem e semelhança das celebridades participantes, para ajudar a tornar a coisa toda bacana. Começamos com Jones, introduzindo o programa '*Serviços Bancários em Nosso Futuro*' — Edição Celebridade Quincy Jones na Escola Elementar Quincy Jones em South Los Angeles. Em breve, incluiremos as escolas e bairros onde Jones cresceu em torno de Chicago e Seattle. Estas são áreas de preocupação e interesse apaixonados de Jones, e a equipe da Operação HOPE fará o trabalho escolar durante todo o ano porque essa é a nossa paixão.

A 5MK compreende nosso Curso de Dignidade, que incentiva o desenvolvimento de valores e autoestima, com noções básicas sobre cheques, poupança, crédito, investimento e a história dos serviços bancários e das finanças. Tudo isso envolvendo as histórias de vida de grandes celebridades que as crianças admiram e respeitam, tornando o projeto uma coisa pessoal para elas. O apoio de celebridades ao programa '*Serviços Bancários em Nosso Futuro*' dará potência ao trabalho da 5MK em campo e nas escolas locais. Vamos recrutar celebridades líderes de uma ampla fatia em termos de cultura, geografia, raça e gênero e reproduzir o '*Serviços Bancários em Nosso Futuro*' em outras comunidades carentes de toda a América. A comunidade de celebridades com liderança alavanca seus maiores talentos e habilidades, e a Operação alavanca os nossos.

Um milhão de jovens

Dentre a população alvo de cinco milhões de crianças da primeira fase do nosso trabalho de transformação da cultura, vamos enfocar em um milhão para que desempenhem papéis de liderança em nossas academias *HOPE Business in a Box* de 2013 a 2020. Nosso plano é implantar duas mil destas academias em aproximadamente cem mil escolas públicas de comunidades urbanas e rurais em toda a América. Essa penetração de mercado de 2% é tudo que precisamos para deflagrar o movimento, dando-nos concentração cultural nas comunidades mais necessitadas.

Uma academia *HOPE Business in a Box* é como pegar o material da biblioteca de uma escola particular e colocá-lo em uma escola pública. Começa com jovens que já passaram por nosso programa básico '*Serviços Bancários em Nosso Futuro*' e se desenvolve com base neste, conduzindo-os em um curso primário de empreendedorismo, seja o currículo da Operação HOPE, da Fundação Nacional de Ensino em Empreendedorismo, ou o currículo do Escritório de Educação em Empreendedorismo da Administração de Pequenas Empresas dos Estados Unidos.

A Operação HOPE listou 25 pequenos negócios que um jovem pode criar sozinho por menos de US$ 500. Eles podem brotar sob a forma de uma barraca de limonada na vizinhança, uma loja de doces (meu primeiro negócio) ou um aplicativo móvel na App Store ou Android Market. Os participantes do programa concebem suas ideias de negócios e então se preparam para subir ao palco e fazer um discurso de dois minutos diante de um grupo de lideranças empresariais locais que também atuam como exemplos. Pense em algo como o programa de TV *Shark Tank* para crianças.

Os vencedores da competição recebem a verba de US$ 500, e os demais participantes do *HOPE Business in a Box* são incentivados a aproveitar suas redes sociais existentes para captar dinheiro para suas empresas usando a plataforma de *crowdsourcing* (um tipo de financiamento coletivo) do *HOPE Business in a Box*, que possibilita aos jovens envolver amigos e familiares no apoio a seus negócios. A plataforma também permite aos jovens solicitar contatos, acesso às redes de indivíduos bem-sucedidos no campo desejado ou recursos não monetários para o lançamento de seus negócios.

Imagine como o cérebro desses jovens simplesmente é tomado de otimismo, esperança, oportunidade e um senso de aspiração pessoal. Talvez, pela primeira vez, alguém esteja olhando para eles, investindo tempo neles, levando-os a sério.

Considere uma escola com mil crianças em quc todas façam o curso básico de alfabetização financeira. Digamos que seiscentas a oitocentas dessas crianças completem o curso de empreendedorismo, e umas duzentas ou trezentas completem o curso sobre começar um negócio com US$ 500 ou menos. Finalmente, daqueles duzentos ou trezentos jovens, talvez apenas cinquenta a cem realmente se apresentem duas vezes por ano no auditório de sua escola.

Ainda assim, trata-se de um sucesso, pois tudo o que precisamos é que 5% destes jovens — cinquenta ou mais de cada mil — envolvam-se decididamente na iniciativa mais visível e mais poderosa daquela escola para mudar vidas. Aqueles 5% podem servir de exemplo, estabilizando a escola. Os jovens, os professores, as famílias e os profissionais e proprietários de negócios locais que frequentam estes eventos competitivos desempenham um papel tão poderoso quanto as crianças no palco lançando suas ideias. Esse programa vai se desenvolver baseado em sua própria dinâmica, desencadeando uma reação em cadeia de empreendedorismo, orientação e oportunidade de negócio.

Não se trata realmente de tentar criar empreendedores, embora muitos venham a ser criados nesse processo. Também não se trata de obter retorno em um investimento — por isso a Operação HOPE concede doações para os negócios e não empréstimos. Estamos tentando, isso sim, mudar a cultura predominante em uma escola, tornar bacana e viável seguir sonhos e iniciativa. Acreditamos firmemente que isso criará uma nova geração de líderes para o futuro da América.

Imagine o que poderia ser possível se conseguíssemos transformar potenciais desistentes e desempregados crônicos em motores para o crescimento e a riqueza. Se formos, até mesmo remotamente, bem-sucedidos e produzirmos em torno de um milhão de jovens empreendedores e proprietários de pequenas empresas no *HOPE Business in a Box,* a reação em cadeia e a mudança na cultura serão maiores que a Operação HOPE; uma mudança dessas afetaria a América.

1000 agências bancárias

Além de criar crianças com a visão de se tornarem empreendedoras, devemos habilitar essas mesmas crianças e suas famílias ao acesso bancário e melhorar sua pontuação de crédito. A visão da Operação HOPE para criar acesso a serviços bancários é chamada *HOPE Inside* — agências bancárias *HOPE Inside*, cooperativas de crédito *HOPE Inside*, mercearias e grandes varejistas *HOPE Inside*. Nossa estratégia prevê a implantação de mais de mil agências bancárias "*bottom-up*", denominadas centros de empoderamento financeiro, em toda a América. *A HOPE Inside* almeja acessar 1% da rede de agências bancárias convencionais, uma meta bastante razoável e exequível.

Além disso, estamos também lançando a *HOPE Inside Plus*, que envolve o licenciamento de agências, bem como treinamento e certificação de funcionários de agências bancárias para se tornarem conselheiros autorizados HOPE em alfabetização financeira. A rede seria tanto um "banqueiro privado" para trabalhadores pobres, carentes e classe média batalhadora, quanto uma rede nacional de serviços bancários e empoderamento para atender aqueles com renda anual de até US$ 50.000.

Lançamos a rede HOPE Inside em parceria nacional com o SunTrust Banks, um dos dez maiores bancos dos Estados Unidos, cujo presidente e CEO Bill Rogers lidera o inspirado objetivo da empresa: "Iluminar o caminho para o bem-estar financeiro". Um grupo de outras grandes marcas corporativas líderes também aderiram, como Accenture, Bank of the West (um inovador precoce), City National Bank, a cidade de Miami, Equifax, Corporação Federal de Seguro de Depósitos, Microsoft, OneWest Bank, Popular Community Bank, Regions Financial Corporation, a Agência governamental de Administração de Pequenas Empresas, o Union Bank, entre outras.

Nossa meta para a *HOPE Inside Plus* é listar cinco mil bancários treinados e certificados, o que se traduz em 2.500

ou mais locais de atendimento para um total de 3.500 locais de serviço e empoderamento para indivíduos, famílias, comunidades e pequenos negócios de baixa renda, trabalhadores pobres e classe média batalhadora. Outros dois mil pontos nas escolas locais irão empoderar jovens em situação de risco com sua própria energia econômica, religando a educação à aspiração juvenil.

Pontuação de crédito de 700

Exceto pelo poder de Deus e do amor, nada pode mudar mais a vida de uma pessoa do que aumentar sua pontuação de crédito em 120 pontos. Para esse fim, a Operação HOPE está lançando uma iniciativa de pontuação de crédito de 700 nas comunidades onde a pontuação de crédito média é de 500 a 550, o que anteriormente as condenava à indignidade dos credores *subprime* predatórios, desconto de cheques, empréstimos sobre o certificado de propriedade de veículo, empréstimos *payday* e arrendamento de bens. Lançamos a '*Comunidades HOPE de Pontuação de Crédito 700*' em todos os pontos do HOPE Center no país e vamos enfocar a alteração da pontuação de crédito não só de nossos clientes, mas também das comunidades que cercam nossos centros.

Descobrimos que podemos e constantemente ajudamos nossos clientes a aumentar sua pontuação de crédito em mais de cem pontos e, quando um cliente de aconselhamento altera sua pontuação de crédito para 670 ou mais, tudo na vida da pessoa muda. Sua noção a respeito dos princípios básicos das finanças muda, seu senso de bem-estar e esperança vão às nuvens, e seu comprometimento com sua própria vida ascende a um novo nível, combinando com seu novo conjunto de habilidades financeiras.

Em um esforço para enraizar nosso trabalho na autoridade moral, estamos começando com o *Centro de Dignidade Financeira HOPE* na Igreja Batista de Ebenezer, em Atlanta, Geórgia, a casa moral do Dr. King. A Operação HOPE atualmente é inquilina âncora do *Martin Luther King Sr. Community Resource Complex* em Ebenezer e está no amplo campus King Center em Atlanta, Geórgia. O HOPE Center de Ebenezer será a central nacional de formação, certificação, inspiração e inovação. Tudo isso faz parte do novo "software de desenvolvimento humano" da Operação HOPE para aumentar a pontuação de crédito e, com isso, o potencial humano.

América 2020

América 2020 é a implantação local do Projeto 5117. Haverá uma Denver 2020, uma Nova York 2020, uma Los Angeles 2020 e assim por diante até chegarmos a todas as comunidades carentes e levar a elas os benefícios do Projeto 5117. América 2020 é nossa campanha nacional para mudar vidas rua por rua, casa por casa, escola por escola e comunidade por comunidade. Ao lançarmos esta campanha para salvar nossos filhos, também estimulamos e inspiramos a experiência norte-americana da democracia e da liberdade. Ao avançarmos nesta causa, nos alinhamos às mais elevadas ideias e ideais mencionados pelo Dr. King e outros que anunciaram seu movimento como o resgate da alma da América.

Essa campanha nacional, começando nas comunidades locais, é do povo, pelo povo e para o povo. Não se trata de raça ou barreira de cor, mas de classe e pobreza. Assim como muitos movimentos de mudança, esse movimento será liderado não só por jovens ajudando o país a encontrar o seu caminho, mas também por norte-americanos ajudando os jovens a encontrar seu caminho para um papel significativo e digno na economia. Ele não só será efetuado nas ruas, mas também em recintos fechados, das salas de aula da escola pública às salas de reunião das direções escolares. Esta campanha irá conectar o poder e a história do movimento dos direitos civis com a promessa e a oportunidade futura de um movimento pelos direitos de prata ("Silver rights" ou" direitos de Prata" , é um movimento que documenta e valida a próxima fase da luta pelos direitos civis americanos , uma luta de empoderamento onde entram não somente as minorias, mas 100% da população).

Ideias, ferramentas e pessoas

Outros líderes notáveis e confiáveis trabalharam para garantir que os pobres e severamente carentes tivessem acesso básico ao capital inicial de que precisam para gerir um negócio em cidadezinhas de todo o mundo em desenvolvimento, por meio da abordagem de baixo para cima de microcrédito e microfinanciamento. Na Operação HOPE, temos uma visão diferente. Temos procurado atacar positivamente e romper as barreiras remanescentes ao setor global que nunca foi verdadeiramente comoditizado e aberto a todos: os serviços bancários e financeiros. Esse setor é crucial como indutor do crescimento do produto interno bruto global, e buscamos massificar seu acesso, oportunidade e disponibilidade aqui e em todo o mundo.

Não temos interesse em criar o que efetivamente seria

um universo paralelo de serviços financeiros para os pobres, coisas que o microcrédito e o microfinanciamento poderiam tornar-se caso a política e as estratégias de crescimento do setor não forem tratadas e gerenciadas direito no futuro. Em vez disso, procuramos serviços bancários e financeiros convencionais para os pobres, os carentes e até mesmo a classe média batalhadora, procuramos trabalhar até mesmo com o governo para devolver o serviço bancário ao povo.

No entanto, a Operação HOPE não será capaz de fazer isto sozinha. Na verdade, para este plano ter sucesso, terá de incluir a mais ampla coalizão de parceiros do setor privado, governo e comunidades, e contar com o envolvimento contínuo da mídia. A Operação HOPE estará continuamente indo até os líderes de todos os segmentos para engajá-los concretamente no trabalho.

É da maior importância que nem a Operação HOPE nem ninguém seja visto como "dono" desse movimento e trabalho. A Operação HOPE pode fornecer algumas ideias e ferramentas iniciais, mas os demais envolvidos com o movimento também irão adicionar seu toque exclusivo. E o mais importante: serão as pessoas de todas as camadas sociais que trarão magia para o movimento. Um esforço desta magnitude não será definido por qualquer anúncio único, conferência de imprensa, parceiro ou iniciativa, mas, sim, por todas suas partes relevantes, parceiros, pessoas e progresso contínuo que vão dar substância e energia sustentável ao longo do tempo.

Por exemplo, em um esforço para contar a história deste trabalho, seu impacto e seus resultados, a BBDO de Nova York, empresa líder em gestão de marcas, concordou em assumir o comando de uma campanha de conscientização de marca ligada ao mecanismo de *crowdsourcing* da *HOPE Business in a Box* para custeio de negócios juvenis. De modo similar, a Qorvis, firma líder em relações públicas, concordou em assumir o comando da narração de histórias de interesse humano sobre casos de sucesso do objetivo nacional da *HOPE Inside* de encaminhar indivíduos para pontuações de crédito de 700.

Como recurso de apoio ao trabalho, a Operação HOPE lançou uma mostra itinerante formal de modelos do América 2020 e do *HOPE Inside*, que continuará até dezembro de 2020. A atividade está começando em caráter nacional e rapidamente se deslocará para o nível de envolvimento de lideranças de cidade a cidade. Para fornecer a tropa de trabalho de campo, a Operação HOPE vai contar com o crescente HOPE Corps, com efetivo atual de 22.000 e objetivo de chegar a cem mil profissionais treinados e certificados para atuar como voluntários e modelos de empresários. Atualmente, o programa HOPE de Bolsistas, Estagiários, Executivos Financiados e Executivos Voluntários soma cem membros e está crescendo; nosso objetivo final é ter quinhentos membros ativamente envolvidos neste trabalho.

O sonho do Dr. King estava focado em resgatar a alma da América, não (apenas) em combater a injustiça. Dessa forma, seu trabalho foi inspirador, e assim será este trabalho. O América 2020 e o Projeto 5117 vão ajudar a construir comunidades mais fortes, que contribuam para uma América cada vez mais estável em termos econômicos. Em última análise, a visão real e sustentável que conduz este novo movimento pelos "*direitos de prata*" é o trabalho.

CONCLUSÃO
Para onde vamos daqui

As pessoas parecem genuinamente confusas sobre como os pobres se livram deste enrosco. Eu não. Em muitos aspectos, estou me alicerçando sobre as sólidas fundações da liderança global sensata focada na erradicação da pobreza, promovida por pessoas como o Dr. Muhammad Yunus, fundador do Grameen Bank, e C. K. Prahalad, autor de *A riqueza na base da pirâmide* (publicado no Brasil pela editora Bookman).[lii] E, embora eu acredite que minha abordagem seja aplicável em muitos lugares do mundo, estou focado principalmente no tipo singular da pobreza norte-americana como ela é hoje, e meu tom e abordagem são possivelmente mais radicais do que o deles porque a questão da pobreza na América é mais difícil de definir.

A pobreza da América não se trata só de dinheiro e da falta dele. Na América, questões de dinheiro e de tomada de boas decisões estão frequentemente envoltas e misturadas com problemas de autoestima e confiança individuais, cultura comunitária e sistemas de crença, valores e, muito francamente, depressão emocional e psicológica.

Mas o cerne do problema é o mesmo: as pessoas pobres têm mais tempo do que dinheiro em seus dias e não dispõem de oportunidades tangíveis suficientes em suas vidas. Pagam mais para obter produtos e serviços de menor qualidade e, com demasiada frequência, sentem-se derrubadas antes de sequer começar o dia. Aí, o capitalismo do mal alimenta-se dessa sensação de desespero, cinismo e falta de esperança. Além disso, você não encontra muitas grandes empresas operando nas comunidades urbanas, centrais ou rurais pobres e batalhadoras, e grandes empresas com frequência não criam novas vagas de trabalho nessas regiões. E, devido à forte dependência de programas públicos, a percepção do governo como salvador é mais intensa do que deveria ser nessas mesmas comunidades, dado que apenas cerca de 9% de todos os empregos norte-americanos provêm do governo.[liii] O governo desempenha um papel significativo em subsidiar a vida dos pobres, mas frequentemente não desempenha um papel de emprego sustentável.

O próximo *big bang* do crescimento econômico global

Assim, enquanto o mundo ainda se ajusta e tenta se recuperar da pior crise econômica global desde a Grande Depressão, estou focado no que vem a seguir. No meio desta crise, vejo também uma oportunidade de finalmente tornar a livre iniciativa e o capitalismo responsável relevantes e viáveis para os pobres e os carentes. Dessa vez, o crescimento da economia mundial exigirá a inclusão positiva de todos nós. Os Estados Unidos viram quatro grandes "*big bangs*" de crescimento econômico em sua história: uma fase agrícola, uma fase industrial, uma fase tecnológica e nossa presente era da informação. Os estágios anteriores de crescimento econômico exigiram terras, prédios, equipamentos ou outras "coisas" para acender o rastilho do crescimento econômico e da prosperidade. Até mesmo a era da informação em que atualmente estamos e que indiscutivelmente lideramos dependeu de uma coisa chamada microprocessador. Nosso próximo *big bang* econômico, a quinta etapa de prosperidade econômica, será muito diferente. Em vez de depender de coisas, contará quase que inteiramente com o que poderíamos chamar de "software do desenvolvimento humano". É o desenvolvimento e o desencadeamento do capital humano empoderado em todo o mundo. O novo software de desenvolvimento humano é o que surge quando se energiza e inspira uma geração de jovens com o poder de uma ideia nova e transformadora. A ideia é a seguinte: você é o produto. E, quando as pessoas sabem disso, quando acreditam nisso, quando recebem as ferramentas e oportunidades para alcançar este objetivo, tornam-se o que eu chamo de "o CEO de você".

Três irmãos só trabalhando

Após meu recente casamento, em parte celebrado em nossa casa, três filhos adolescentes de minha assistente pessoal vieram ajudar na limpeza e reorganização. Os três jovens eram esforçados, concentrados, inteligentes e fizeram um excelente trabalho. Os três estavam sem emprego permanente em tempo integral. Eles fizeram um excelente trabalho para mim, então não pude entender por que não tinham um emprego regular. Ao conversar com eles, tomei conhecimento de uma série de fatores que podem ter afetado suas chances de emprego. Por exemplo, tinham optado por não fazer faculdade, o que poderia ajudar; presume-se que, seguindo na educação universitária, pode-se de fato encontrar um emprego depois da formatura, o que não é garantido.

Eles também não tinham muitas conexões com pessoas bem-sucedidas que pudessem gostar deles, confiar neles e querer ajudá-los. Realmente não tinham nenhum ponto de apoio para começar sua jornada de ascensão. Por isso, sugeri que estes três jovens transformassem seu problema ou desafio em uma oportunidade, assim como Ryan Taylor fizera ao fundar a DROBE, e Eric McLean ao montar seu negócio de notário. Quando e se você não consegue encontrar um emprego, crie um. Sugeri que criassem um novo negócio chamado Three Brothers Just Working, com um site contando suas histórias, apresentando um histórico de cada um deles e suas famílias e explicando como o apoio ao empreendimento não só lhes permitiria fornecer valor real aos clientes e sua comunidade, como daria uma força a três jovens muito específicos.

Com minha nova esposa e eu servindo de referências, sugeri que considerassem começar no meu quarteirão, indo de porta em porta com um folheto sobre os serviços da pequena empresa a ser criada em breve, oferecendo-se respeitosamente para fazer um primeiro serviço gratuito de até três horas para cada novo cliente (sabendo que quase nenhuma pessoa no meu bairro jamais permitiria que estes jovens brilhantes e esforçados trabalhassem de graça). Disse que, depois de seus primeiros cinco ou dez clientes, os dez seguintes surgiriam rapidamente por meio de indicações.

"Não seria bacana", perguntei, "se, dentro de poucos anos, vocês estivessem empregando alguns amigos do bairro?". Eles concordaram que seria muito bacana. Pareciam animados apesar de um pouco amedrontados. Finalmente, disse que a Operação HOPE e nosso Centro de Dignidade Financeira HOPE ficariam felizes em proporcionar aulas de treinamento em livre iniciativa e pequenas empresas para ajudá-los com seu plano de negócios. Então o olhar de dúvida e medo foi substituído por um pouco de confiança. Eles não estariam sozinhos naquilo.

Com essa breve conversa, a esperança foi restaurada na vida de três jovens negros à deriva na América. Com apenas um pequeno empurrão no sentido positivo, eles viram que poderiam se tornar empreendedores, donos de um pequeno negócio, cuidando de suas responsabilidades, gerando energia econômica, criando empregos (a começar por empregos para si próprios) e ajudando a salvar a América. Esse é o plano mestre para toda a comunidade de baixa renda da América, e sem dúvida de todo o mundo, que careça de energia econômica suficiente em tempo real: criar por si. Afinal, todos os grandes negócios foram pequenos em algum momento.

O mundo precisa agora de uma geração dotada de capital humano empoderado para criar seus próprios empregos. Quando fazem isso — quando um bilhão de jovens em todo o mundo descobre como pode acender o rastilho criativo para se levantar pela autodeterminação —, não apenas ajudam a garantir o crescimento do produto interno bruto de que o mundo precisa, mas também obtêm dignidade para si e para todos em torno deles. É assim que os pobres podem salvar o capitalismo.

O jovem Derrick de Detroit é minha esperança

Derrick vive na zona central de Detroit e tinha cerca de dez anos de idade quando eu ouvi falar dele em nossa divisão *Grupo de Empoderamento Jovem Global HOPE*. A escola de

Derrick estava participando de nosso curso de seis aulas de alfabetização financeira "*Banking on our future*" – 'Serviços Bancários Nosso Futuro'-, conduzido por profissionais voluntários. O voluntário que esteve na turma de Derrick obviamente fez um bom trabalho ao apresentar o capitalismo e explicar a linguagem global do dinheiro, e Derrick em particular ficou encantado.

Na terceira aula, o jovem Derrick ficou de mão erguida, fazendo perguntas perspicazes ao banqueiro voluntário. Na quinta aula, usou o único terno que possuía, emulando a aparência daquele exemplo de pessoa bem-sucedida. Claro que, de início, os colegas de Derrick mexeram com ele por causa disto. No entanto, ao concluir a sexta aula, Derrick estava empolgado com uma nova visão de si mesmo.

Quando Derrick caminhava pelo corredor da escola depois da aula final, dois de seus "amigos" se aproximaram, mais uma vez mexendo com ele por causa do terno e agora perguntando por que ele andava com "aquela gente". Por acaso, o banqueiro ouviu. Ele se aproximou do grupo e, com o propósito educativo, ofereceu US$ 70 a cada um e deu três minutos para tomarem uma decisão sobre a empresa Nike.

Os dois amigos de Derrick imediatamente decidiram que cada um compraria um par do tênis de basquete Nike Air Jordan, embora fossem precisar de mais US$ 30 para isso. O jovem Derrick, por outro lado, imediatamente decidiu que compraria uma ação da Nike, negociada por cerca de US$ 64 no momento, rendendo-lhe US$ 6 de troco!

Pois bem, era bastante incrível que Derrick já soubesse que poderia comprar uma ação da Nike por menos de US$ 70. Até mesmo muitos adultos não sabem esse tipo de coisa. Mas a parte realmente incrível ainda estava por vir.

Os amigos de Derrick começaram a zombar dele,

dizendo: “Cara, por que você quer comprar uma ação estúpida? Você tem que pegar um Air Jordan bacana. Todos na escola têm Air Jordans”, e assim por diante. Pressão de grupo. Na verdade, foram para cima de Derrick com tanta força que o voluntário adulto perguntou se ele ia ficar bem.

A resposta de Derrick foi imediata: “Estou bem, cara. E quero que eles comprem os tênis porque, ao fazer isso, estão fazendo dinheiro para mim”.

Bum! É isso. É o graveto em chamas. É aquele momento em que a luz da esperança se acende para não se apagar tão cedo.

Pode chegar um momento, em breve, em que o jovem Derrick esteja sem dinheiro no bolso. Talvez sua família também esteja quebrada. Mas Derrick nunca, jamais, será pobre novamente. Ele baniu a mentalidade de pobreza fracassada de sua vida para sempre.

Esta é a minha esperança: criar uma geração de jovens Derricks por toda a América, uma casa, uma sala de aula, uma escola, uma rua, um bairro e uma cidade de cada vez. Lembre-se: só precisamos que 5% de uma comunidade sirva de modelo para estabilizar essa comunidade.

Quero uma comunidade inteira de jovens líderes como Derrick. Jovens que não pensam como eu, mas que pensam por si mesmos. Jovens que, talvez pela primeira vez em suas vidas, fiquem esperançosos e focados em sua educação, sua aspiração, sua oportunidade, seu sonho de uma vida melhor e um mundo melhor.

Isso pode ser feito.

1

AGRADECIMENTOS

Como um jovem criado em Compton, Califórnia, que passou a vida investindo em ideias recheadas pela promessa de alcançar e viver o sonho americano, eu queria escrever este livro fazia muito tempo. Dito isso, escrever um livro é como pastorear gatos; é raro você realmente conseguir colocar todas as ideias, perspectivas e feedback ativo movendo-se na mesma direção ao mesmo tempo ou sequer atrair tudo para um só espaço. Mas isso é parte da magia de escrever um livro. Quando você mantém uma agenda agressiva, como qualquer líder de uma organização lucrativa ou sem fins lucrativos pode atestar, você deve estar rodeado de pessoas incríveis que desempenham os papéis de defensor, conselheiro, verificador, pesquisador, preparador de texto, agente, editor, antagonista, amigo, colega de trabalho, instigador e caixa de ressonância para ajudá-lo ao longo do árduo processo de colocar seus pensamentos e ideias no papel. Posso garantir que testei a paciência de todos os indivíduos que desempenharam uma ou mais dessas funções, e, ainda assim, eles continuaram ali à disposição.

Gostaria de agradecer ao conselho, colaboradores e membros da equipe da minha Operação HOPE e à família de voluntários da HOPE Corps. Um agradecimento especial aos membros do conselho da HOPE Jim M. Wells III, Bill Rogers, Jim Clifton (juntamente com toda a família Gallup), Steve Bartlett, Lynn Carter, Tim Chrisman, Tim Wennes, Duncan Niederauer, Philippe Bourguignon, William Hanna, Steve Ryan, Michael Shepherd e Michael Arougheti. Amor e apreço à minha chefe de gabinete pessoal e confidente há 21 anos, Rachael Doff, que me apoia em todos os aspectos de minha vida; assim como meus assistentes executivos e pessoais Leslie Alessandro, Charmela Freeman e Sirjames Buchanon. E aos outros membros chaves da minha equipe de gerenciamento sênior, incluindo Bill Walbrecher, Lance Triggs, Mary Hagerty Ehrsam, Frederick D. Smith, Jena Roscoe, Elaine Hungenberg e James Bailey: obrigado. Agradecimento especial a Rod McGrew, meu melhor amigo, e a Tammy Edwards; ambos leram trechos deste livro ao longo do caminho e me proporcionaram feedbacks honestos.

Obrigado ao visionário diretor editorial de minha editora, Neal Maillet, que teve fé em minha ideia para este livro antes mesmo de se chegar a um pleno entendimento. Pelo trabalho incrível de meu editor de desenvolvimento e revisão, Todd Manza: obrigado pela sinceridade e disciplina (risos). Todd deu ordem a meu infindável processo de pensamento.

A meu editor pessoal, Kevin Morris, que se engajou no processo nos últimos dias e fez um trabalho estelar para se certificar de que tudo estava ajustado e correto e para que a mensagem do livro fosse levada a sério por lideranças ao redor do mundo. A meu assistente de pesquisa pessoal, Lucas Turner-Owens, que passou incontáveis horas do dia, da noite e dos fins de semana ajudando a garantir que o livro cumprisse sua promessa, sem se queixar nenhuma vez. Obrigado aos dois. Outros que prestaram importante apoio para mim durante todo o processo de publicação foram minha agente Pilar Queen e membros da família Berrett-Koehler, incluindo Michael Crowley, Kat Engh, Kylah Frazier, Zoe Mackey, David Marshall, Dianne Platner, Courtney Schonfeld, Katie Sheehan, Jeevan Sivasubramaniam, Richard Wilson e Steve Piersanti, presidente e editor da Berrett-Koehler.

Minha profunda gratidão aos homens mais sábios que tive a distinta honra de conhecer e ter como mentores. Em primeiro lugar, meu pai substituto, Reverendo Dr. Cecil "Chip" Murray, que basicamente me criou na minha vida adulta; em segundo lugar, embaixador Andrew Young (e sua cara-metade, Sra. Carolyn Young), ícone dos direitos civis e principal estrategista do falecido Dr. Martin Luther King Jr.; em terceiro, Quincy Jones, lenda da música, cidadão global e epítome do que o espírito empreendedor pode fazer para transformar a América e o nosso mundo; e finalmente, o arcebispo emérito sul-africano Desmond Tutu, que acredita no tipo de capitalismo que prioriza as necessidades de muitos antes do indivíduo. Obrigado por me permitir chamá-lo de "Arch" (risos). E à filha do Dr. Martin Luther King Jr., Drª Bernice A. King: obrigado por compartilhar seu ponto de vista valioso sobre a missão final de seu pai para acabar com a pobreza — a Campanha dos Pobres.

Sou grato também aos líderes que compartilharam sua sabedoria e pontos de vista singulares em torno da questão de fazer a livre iniciativa e o capitalismo funcionarem para os pobres de qualquer nação, mas na América em particular, incluindo o governador Tim Pawlenty, Mark Cassidy, Anand Nallathambi, Kent Stone, Jamie Dimon, secretário Alphonso Jackson, Rick Smith, Johnnie Johns, Grayson Hall, Joseph Otting, Charles Schwab, Carrie Schwab Pomerantz, Gail McGovern, Thomas Guevara, Susan L. Taylor, Andrew "Bo" Young, Tom Neilssen, Steve Gillenwater, Antoinette Malveaux, Tim Sloan, Tim Hanlon, Brad Blackwell, Tom Swanson, John Sotoodeh, Ajay Banga, Shawn Miles, Pierre Habis, Alex Cummings, Peter Ueberroth, William C. Bell, Diane Brady, Dan Mahurin, Christopher Ruddy, Soledad O'Brien, Van Jones, Ben Jealous, Richard Ketchum, Bill George, professor Eldar Shafir; Dennis Lockhart, presidente do Atlanta Federal Reserve; Esther George, presidente do Kansas City Federal Reserve; Sheila Bair, Clare Woodcraft, Hasan Al-Jabri, Amr Ahmed Banaja, Karim Hajji, Luis Edson Feltrim, Kingsley Chiedu Moghalu, professor Klaus Schwab, professor Pekka Himanen, sua alteza real príncipe herdeiro Haakon Magnus da Noruega e presidente Bill Clinton.

Da mesma forma, Sean Cleary, conselheiro sênior do presidente do Fórum Econômico Mundial, que me ajudou a compreender a situação dos pobres do mundo em contraste com a pobreza que tenho testemunhado e vivido pessoalmente na América. Sean tem dedicado a vida a diminuir o fosso entre os ricos e os pobres por meio da sua participação ativa na criação de políticas. Seu conhecimento, experiência e liderança apaixonada em cultivar internacionalmente o trabalho da HOPE me inspiram.

Obrigado à minha família, incluindo minha mãe, Juanita Smith; meu pai, Johnie W. Smith; minha sogra, Gwendolyn Foreman; minhas irmãs e cunhada, Mara Lamont Hoskins, Arlene Hayes e Alexandra Foreman; meu irmão, Dave D. Harris, e sua família; minhas afilhadas, Kirstin Martinez e Howard Jade; e meu filho, Bispo Milo Bryant, um labrador chocolate que me ama mesmo quando sou intratável, como evidenciado por sua baba e por sentar em cima de mim com seus quarenta quilos. E, finalmente, à minha amada esposa, Natasha Foreman Bryant, MBA, que não só forneceu o encorajamento e diálogo ativo de que eu precisava para entender esse tópico sensível, como também ajudou a estruturar os temas de forma que, com sorte, todos que lerem este livro ficarão inspirados para se envolver em provocar a mudança em nosso mundo. Obrigado por sua paciência e por ser uma verdadeira parceira. Sou abençoado por ter encontrado a minha igual — ou a minha melhor (risos).

Aos servidores públicos de nossa nação, que continuam a tentar encontrar o equilíbrio delicado (e, às vezes, aparentemente impossível) entre acesso financeiro para todos e inovação de serviços bancários, regulamentação financeira, supervisão institucional e defesa do consumidor. Aplaudo sua liderança e diligência no que geralmente é um trabalho muito ingrato. Muitos líderes têm sido prestativos em nosso trabalho, incluindo o presidente do Federal Reserve dos Estados Unidos, Ben Bernanke; a presidente do Federal Reserve System, Janet Yellen; o controlador da União, Thomas J. Curry; os colegas de OCC Paul Nash e Barry Wides; o presidente da FDIC, Martin J. Gruenberg; o vice-presidente Tom Hoenig e outros amigos da FDIC; Richard Cordray, da Agência de Proteção Financeira do Consumidor; e Cyrus Amir-Mokri, Don Graves, Melissa Koide, Louisa Quittman e outros amigos do Departamento do Tesouro dos Estados Unidos.

Obrigado a todos e a cada um de vocês. Vamos mudar o mundo a partir de agora. Vamos lá...

SOBRE A OPERAÇÃO HOPE INC.

A missão da Operação HOPE é o empoderamento dos direitos de prata, fazendo a livre iniciativa funcionar para todos. Fazemos isso mediante nosso trabalho de campo, como banqueiro privado sem fins lucrativos para os trabalhadores pobres, os carentes e a classe média batalhadora. Alcançamos nossa missão sendo os melhores provedores de empoderamento em alfabetização financeira para os jovens, de capacitação financeira para as comunidades e, finalmente, de dignidade financeira para todos.

Desde a criação em 1992, a HOPE atendeu mais de dois milhões de indivíduos. A HOPE também direcionou mais de US$ 1,5 bilhão de capital privado para comunidades de baixa renda da América, mantém um crescente exército de vinte mil voluntários na HOPE Corps e, atualmente, atende mais de trezentas cidades dos Estados Unidos bem como do Marrocos, Arábia Saudita, África do Sul e Emirados Árabes.

Veja mais em http://www.operationhope.org.

SOBRE O AUTOR

John Hope Bryant é empresário, autor, consultor e um dos mais reconhecidos líderes de empoderamento da nação. É o fundador, presidente e CEO da Operação HOPE e das empresas do grupo Bryant.

Bryant serve ao presidente Barack Obama como presidente do Conselho Consultivo do Presidente em Capacitação Financeira, Subcomissão de Empoderamento de Carentes e Comunidades.

Bryant é cofundador do Índice Gallup–HOPE, única pesquisa nacional sobre dignidade financeira juvenil e energia econômica dos jovens nos Estados Unidos. Também é cofundador da Global Dignity com o príncipe herdeiro Haakon da Noruega e o professor Pekka Himanen da Finlândia. A Global Dignity é afiliada ao Fórum dos Jovens Líderes Globais e ao Fórum Econômico Mundial.

Bryant é um líder de pensamento, representado pelo grupo BrightSight para falar em público, e atua no conselho de administração da Ares Commercial Real Estate Corporation (NYSE: ACRE), uma empresa de finanças especializada, gerenciada por uma filial da Ares Management LLC, gestora alternativa global de ativos, com aproximadamente US$ 59 bilhões em capital sob sua gestão em 31 de dezembro de 2012.

NOTAS

Capítulo 1: América dividida e desigual

[1] Dados do Banco Mundial, "GPD (current US$)", http://data.worldbank.org/indicator/NY.GDP.MKTP.CD.

[2] Josh Boak, "U.S. Unemployment Aid Surges to 368.000", *ABC News*, 12 de dezembro de 2013.

[3] Karen E. Dynan, Jonathan Skinner e Stephen P. Zeldez, "Do the Rich Save More?", *Journal of Political Economy*, 112, nº 2 (2004).

[4] E. N. Wolff, "Changes in Household Wealth in the 1980s and 1990s in the U.S."(documento de trabalho nº 407, Annandale-on-Hudson, NY: The Levy Economics Institute of Bard College, 2004).

[5] Federal Deposit Insurance Corporation, *2011 FDIC National Survey of Unbanked and Underbanked Households* (Washington, D.C.: Federal Deposit Insurance Corporation, setembro de 2012).

[6] Ed Garsten, "GM Healthcare Bill Tops US$ 60 billion", *Detroit News*, 11 de março de 2004.

[7] Nancy Harty, "5 dead, 26 wounded, in weekend shootings", *Chicago Sun–Times*, 18 de junho de 2012.

[8] Estatísticas do mint.com citadas em Chris Preston, "Five Reasons Professional Athletes Go Broke", *Wyatt Investment Research*, 5 de março de 2013.

[9] Shane J. Lopez, "Making Hope Happen in the Classroom", *Phi Delta Kappan* 95, nº 2 (outubro de 2013), 19–22. Ver também Allie Grasgreen, "Here's Hoping", *Inside Higher Ed*, 6 de julho de 2012.

Capítulo 2: Um novo olhar sobre a disparidade de renda

[1] Gabinete do Censo dos Estados Unidos, "Poverty" http://www.census.gov/hhes/www/poverty/data/threshld/index.html.

[2] Jacob S. Hacker, *The Great Risk Shift: The New Insecurity and the Decline of the American Dream* (Nova York: Oxford University Press, 2006).

[3] Ver Lawrence Mishel, "Markets, Wages, and Fighting Poverty", *The Economic Policy Institute Blog*, 8 de janeiro de 2014, http://www.epi.org/blog/markets-wages-fighting-poverty; e Paul Wiseman, "Richest 1 Percent Earn Biggest Share since '20s", *Associated Press*, 10 de setembro de 2013.

[4] Angela Johnson, "76% of Americans Are Living Paycheck-toPaycheck", *CNN Money*, 24 de junho de 2013.

[5] Mitra Toossi, "Consumer Spending: An Engine of US Job Growth", *Monthly Bureau of Labor Review*, novembro de 2002, http://www.bls.gov/opub/mlr/2002/11/art2full.pdf.

[6] Anandi Mani, "Poverty Impedes Cognitive Function", *Science* 341, nº 6.149 (2013): 976–980.

[7] Sociedade para Gestão de Recursos Humanos, *Background Checking — The Use of Credit Background Checks in Hiring Decisions*, 19 de julho de 2012, http://www.shrm.org/Research/SurveyFindings/Articles/Pages/CreditBackgroundChecks.aspx.

[8] Jenna Johnson, "Majority of College Dropouts Cite Financial Struggles as Main Reason", *The Washington Post*, 9 de dezembro de 2009.

[9] Instituto de Política Pública da Califórnia, *California Budget*, http://www.ppic.org/content/pubs/report/R_212MWR.pdf.

[10] Stuart Anderson, "40 Percent of Fortune 500 Companies Founded by Immigrants or Their Children", *Forbes*, 19 de junho de 2011.

[11] John Steel Gordon, "The Man Who Saved the Cadillac", *Forbes*, 1º de maio de 2009.

[12] Yue Wang, "More People Have Cell Phones than Toilets", *Time Magazine*, 25 de março de 2013.

Capítulo 3: Quebrando o código das finanças

[1] Ariel Investments e Charles Schwab, *The Ariel/Schwab Black Investor Survey: Saving and Investing among Higher Income African-Americans and White Americans* (Hsinchu, Taiwan: Argosy Research, 2008).

[2] Andrew Young e Kabir Sehgal, *Walk in My Shoes: Conversations between a Civil Rights Legend and His Godson on the Journey Ahead* (New York: Palgrave Macmillan, 2010).

[3] Conforme visto no museu Ford's Theatre em Washington, D.C.

Capítulo 4: Serviços bancários e financeiros

[1] Departamento do Interior dos Estados Unidos, Serviço Nacional de Parques, *National Registry of Historic Places Inventory — Nomination Form*, http://pdfhost.focus.nps.gov/docs/NHLS/Text/78000754.pdf.

[2] Joseph Giovinco, "Democracy in Banking: The Bank of Italy and California's Italians", *California Historical Quarterly* 47, nº 3 (setembro de 1968): 197.

[3] Christine Bradley, Susan Burhouse, Heather Gratton e Rae-Ann Miller, *Alternative Financial Services: A Primer* (Washington, D.C.: Federal Deposit Insurance Corporation, 2009).

[4] Bank of America e Kahn Academy, "Better Money Habits", http://www.bettermoneyhabits.com/en/home.html#fbid=4pMItrfD_t6.

[5] Corporação Federal de Seguro de Depósitos, *2011 FDIC National Survey of Unbanked and Underbanked Households* (Washington, D.C.: Federal Deposit Insurance Corporation, 2012).

[6] Stephanie Clifford e Jessica Silver-Greenberg, "Platinum Card and Text Alert, via Pawnshop", *The New York Times*, 24 de agosto de 2013.

Capítulo 5: O fundo hedge da família trabalhadora
[1] Nathan Bomey, Brent Snavely e Alisa Priddle, "Detroit Becomes Largest U.S. City to Enter Bankruptcy", *Detroit Free Press,* 3 de dezembro de 2013.
[2] Em média, pessoas com uma pontuação de crédito na faixa de 760 a 850 pagarão um ponto percentual a menos de juros em uma hipoteca de US$ 300.000 de trinta anos do que alguém com uma pontuação de crédito de 620 a 639. Embora os pagamentos mensais ligeiramente maiores possam não parecer caros a curto prazo, as pessoas com baixa pontuação de crédito pagam significativamente mais ao longo da vida pelo empréstimo do que aquelas com melhores pontuações de crédito.
[3] John Hope Bryant e Robert Gnaizda, "How to End the Homeownership Crisis", *American Banker,* 25 de outubro de 2012.

Capítulo 6: Comunidades com pontuação de crédito de 700
[1] Lisa J. Servon, "The Real Reason the Poor Go Without Bank Accounts", *The Atlantic Cities,* 11 de setembro de 2013.

Capítulo 7: O poder dos pequenos negócios e do empreendedorismo
[1] Gallup e Operação HOPE, *2011 Gallup-HOPE Index,* disponível em http://www.operationhope.org.
[2] Jim Clifton, "Dead Wrong: America's Economic Assumptions", *Gallup Business Journal,* 21 de março de 2013, http://businessjournal.gallup.com/content/161378/dead-wrong-america-economic-assumptions.aspx.
[3] Ministério da Agricultura dos Estados Unidos, Serviço de Marketing Agrícola, "Food Deserts", http://apps.ams.usda.gov/fooddeserts/foodDeserts.aspx.
[4].Pesquisa Gallup–HOPE, resultados de 2013.
[5] C. Chapman, J. Laird, N. Ifill e A. KewalRamani, *Trends in High School Dropout and Completion Rates in the United States* (Washington, D.C.: U.S. Department of Education, 2011).
[6] Jim Clifton, "Dead Wrong".
[7] Malcolm Gladwell, *The Tipping Point: How Little Things Can Make a Big Difference* (Nova York: Little, Brown and Company, 2000).
[8] Gallup e Operação HOPE, *2011 Gallup–HOPE Index.*
[9] Sam Dillon, "Large Urban–Suburban Gap Seen in Graduation Rates", *The New York Times,* 2 de abril de 2009.
[10] Clive R. Belfield e Henry M. Levin, *The Economic Losses from High School Dropouts in California* (California Dropout Research Project Report nº 1, Santa Barbara, CA: University of California, Santa Barbara, 2007).
[11] Clive R. Belfield, Henry M. Levin e Rachel Rosen, *The Economic Value of Opportunity Youth* (Nova York: Columbia University and Queens College, 2012).

Capítulo 8: O Plano HOPE
[1] Ver Conselho Consultivo do Presidente sobre Capacitação Financeira, "Final Report," 29 de janeiro de 2013, http://blogs-images.forbes.com/amyrosen/files/2013/02/PACFC-final-report.pdf.
[2] Corporação Federal de Seguro de Depósitos, *2011 FDIC National Survey.*
[3] As melhores práticas para o empregador aprimorar o letramento financeiro de sua força de trabalho são encontradas no "Final Report" do Conselho Consultivo do Presidente sobre Capacitação Financeira. Para detalhes sobre os benefícios obtidos pelo empregador que proporciona letramento financeiro, ver "Financial Literacy Tied to Productivity", *Employee Benefit News,* 9 de agosto de 2012.
[4] Clive R. Belfield, Henry M. Levin e Rachel Rosen, *The Economic Value of Opportunity Youth.*
[5] Martin Luther King Jr., *Where Do We Go From Here: Chaos or Community?* (Nova York: Beacon Press, 1968).

Capítulo 9: Projeto 5117
[1] Mais informações sobre o Projeto 5117 podem ser encontradas em www.operationhope.org/p5117.

Conclusão
[lii] C. K. Prahalad, *The Fortune at the Bottom of the Pyramid: Eradicating Poverty through Profits* (Upper Saddle River, NJ: Prentice Hall, 2010).
[liii] Michael Greenstone e Adam Looney, "A Record Decline in Government Jobs: Implications for the Economy and America's Workforce", *Brookings on Job Numbers,* 3 de Agosto de 2012.